Juillet 2017
à Martine

Un souvenir
Pour son Anniversaire
Bonne Fête
Grosses Bises
Mireille

Inondé sous les e-mails,
résistez !

D1226226

Carole Blancot, Vincent Berthelot,
Anne De Landsheer

Inondé sous les e-mails, résistez !

hachette

Remerciements

Carole Blancot

« Je remercie Valérie Andrade, Directeur Marketing et Communication chez ADP ; Chantal Buhagar, psychosociologue spécialiste des questions de management et de développement des compétences ; Patrick Bouvard, rédacteur en chef de www.RHinfo.com ; Jean-Jacques ; M. X, P-DG d'un groupe industriel (qui témoignait de façon anonyme) ; M. Y, secrétaire général au sein d'une PME ; Jean-Jacques Auffret, responsable CIR, community manager chez Dassault Systèmes et étudiant à HEC sur le programme "Executive Coaching".

Et Hachette Pratique, Vincent et Anne, sans lesquels je ne me serais pas posé toutes ces questions. »

Anne De Landsheer

« Je remercie Carole et Vincent, sans qui je n'aurais pas découvert tout l'intérêt d'autres outils que le mail, permettant de partager des documents de façon beaucoup plus rapide et efficace ; Hachette Pratique et Monsieur Z, CEO d'un laboratoire pharmaceutique international. »

Sommaire

Avant-propos

En 1971, Ray Tomlinson créait la toute première adresse e-mail (alors appelée *netmail*, pour Network Mail) : tomlinson@bbn-tenexa. À cette époque existaient déjà les messages SNDMSG (*send message* ou « envoyer message ») pour échanger des notes ou des fichiers texte entre utilisateurs d'un même ordinateur, mais Ray Tomlinson a eu l'idée d'adjoindre à ce système un logiciel de transmission qui permette de communiquer en réseau entre utilisateurs d'ordinateurs différents. Ainsi l'e-mail est adopté parce qu'il est « capable de classer les messages par objet ou par date et permet aux utilisateurs de les lire dans l'ordre de leur choix ».

Au fil du temps, notre utilisation de l'e-mail s'est transformée progressivement. Pendant de nombreuses années (de 1995 à 2005), la messagerie électronique a joué le rôle d'outil de stockage pour nos contacts, documents, photos, vidéos. Petit à petit, cette messagerie s'est d'ailleurs transformée en une sorte de gestion électronique de documents (sans en offrir pourtant toutes les fonctionnalités). Avec l'apparition, puis l'usage des réseaux sociaux, qui conquièrent chaque année de nouveaux utilisateurs en nombre et qui gagnent toujours plus de terrain dans notre quotidien, l'e-mail apparaît déjà aux yeux de beaucoup comme une pratique dépassée, voire contraignante, « chronophage », lassante et désormais efficiente avant tout pour stocker de l'information et des documents.

Selon les résultats de l'étude Ifop/Generix « Les Français et la dématérialisation » (réalisée sur un échantillon représentatif de la population française âgée de 18 ans et plus, étude publiée en septembre 2012), la dématérialisation peine à convaincre les Français, qui restent attachés au format papier pour leurs documents administratifs ou professionnels. Ainsi, de façon très surprenante, les pratiques des Français en entreprise révèlent d'une part un paradoxe et d'autre part des archaïsmes bien ancrés. S'ils sont 65 % à dénoncer la surabondance de papiers dans leur quotidien et 45 % à estimer que leur entreprise n'a pas suffisamment recours à la dématérialisation de documents, 14 % des actifs continuent d'imprimer leurs e-mails et 14 % les archivent au format papier ! (Source : http://ow.ly/eq4Gm)

Il est à noter qu'en 2012, 15 % des internautes français ont au moins quatre adresses e-mail et que 90 % d'entre eux consultent au moins une fois par jour leur adresse principale. Ils sont 60 % à consulter au moins une fois par jour leur adresse secondaire. En revanche, ils sont 30,5 % à supprimer leurs messages sans les lire. Enfin, 63 % estiment recevoir trop d'offres par e-mail, et 41,7 % cherchent en vain le lien de désinscription. (Source : 6e édition de l'étude EMA, E-mail Marketing Attitude, http://ow.ly/eq3qg)

Cependant, aujourd'hui encore, l'e-mail est le premier élément constitutif de l'identité numérique de chaque individu. Quarante ans après sa création, il perdure sans avoir encore été totalement supplanté par la messagerie instantanée ni enterré par les réseaux sociaux. En effet, pour créer un compte Facebook, Linkedin, Twitter, Viadeo…, la première action qu'il vous faudra réaliser sera de valider votre adresse e-mail ! Pour interagir avec un autre compte Twitter, il faut, comme pour l'e-mail, utiliser la fameuse arobase (@), sans laquelle votre destinataire ne sera pas notifié de la mention que vous lui faites. Enfin, la plupart des activités réalisées et survenant sur les réseaux sociaux font l'objet d'une notification par e-mail, et si vous ne décochez pas certaines options activées par défaut, vous pourriez voir votre messagerie électronique surchargée encore davantage !

Les employés de bureau américains consacrent aujourd'hui 650 heures par an à leur boîte e-mail, soit 13 heures par semaine (en comptant deux semaines de vacances), selon le McKinsey Global Institute, qui a fait le calcul. (Source : http://ow.ly/eOrGu)

S'il paraît encore impossible de supprimer totalement aujourd'hui le recours à l'e-mail, il n'en demeure pas moins que certaines actions simples vous permettront de continuer à bénéficier de ses nombreux avantages, sans subir les flux inutiles et polluants tels que les *spams*, *scams*, *phishings*, etc., ou encore les cyber-dangers (virus, cheval de Troie, *malware*, etc.), ni mettre votre emploi en danger et, surtout, votre santé mentale.

L'objet de ce livre est de vous permettre de reprendre le contrôle de votre messagerie et de vous aider à optimiser votre organisation, pour mettre en œuvre une gestion plus opérante de vos messages, au profit d'une meilleure productivité et d'un plus grand bien-être.

Première partie

L'e-mail au travail « m'a TUER »

L'e-mail,
outil productif ?

En entreprise, l'e-mail, ou courriel, est un formidable outil de communication, qui peut en un instant transmettre toutes sortes d'informations : textes, fichiers, photos, sons, vidéos, etc. Il est devenu un canal privilégié tant au niveau professionnel que personnel. Son instantanéité a changé nos vies et nos comportements en matière de communication. Il a donc, au fil des années, pris la place d'un certain nombre de gestes, jusqu'alors habituels, et nous a permis de gagner du temps. Avec lui, il n'est plus nécessaire de se déplacer ou d'envoyer par la poste ses dossiers, ses photos, ses présentations, ses exposés ou diverses études et résultats.

L'e-mail au travail est un sujet central dans le monde des entreprises. Pour s'en rendre compte, il n'est qu'à voir la littérature à ce sujet, la jurisprudence, ou encore les publications du Medef (http://is.gd/UqQV1r) ou de la CFDT (sous forme de guide d'usage, dans la revue *Cadres* de juillet 2012, consacrée aux opportunités numériques).

E-mail et productivité

Jean-Jacques Auffret anime dans sa société (en plus de ses activités opérationnelles) une communauté en ligne interne, dédiée à l'organisation du travail. Cette communauté traite, entre autres, de certains aspects liés aux usages de l'e-mail. Selon lui, les objectifs d'information et d'action inhérents à l'e-mail requièrent de nous un arbitrage entre réactivité et efficacité.

« Réactivité et efficacité sont aujourd'hui plus que jamais les deux plateaux de la balance professionnelle, et ceci n'est bien entendu que la projection sur l'entreprise de tendances lourdes de la société toute entière. Il semble que la formidable explosion des technologies de l'information des dernières années, à laquelle participe l'e-mail, soit une cause première dans ce changement. En effet, ces technologies vont toutes dans le sens d'une hypothèse cachée, qui n'est remise en cause par (presque) personne : " plus vite = mieux ", ou encore " réactivité = efficacité ".

« La réalité est évidemment plus complexe, mais ce qui change, c'est que chacun est davantage comptable de son compromis personnel entre les deux, entre traiter " à peu près mais tout de suite " et traiter " complètement mais plus tard ".

« Ce choix n'est jamais simple, et il est faux de dire que l'une des approches est systématiquement, ou même souvent, meilleure que l'autre.

« Une troisième voie semble nécessaire pour gérer les deux premières. Elle consiste à gérer de l'information au niveau de la réactivité, et de l'action au niveau de l'efficacité. Concrètement, face à une demande arrivant par e-mail, cela signifie répondre rapidement " oui, je vais le faire pour telle date " ou " non, je ne vais pas le faire, parce que la demande est illégitime pour telle raison " (réactivité au niveau de l'information), puis à le faire (ou pas) en fonction de ce premier échange, voire de la négociation qui s'ensuivra (efficacité au niveau de l'action).

« Le piège subtil de l'e-mail, qui a remplacé le contact direct, oral (par téléphone, par exemple), pour un grand nombre de demandes, c'est qu'il ne contient pas explicitement cette part de négociation qui existait naturellement dans le contact oral. On répond – ou pas – à ce qui nous est demandé ; on fait – ou pas – ce qui nous est demandé ; mais on ne négocie pas (quoi, pour quand, quel niveau de qualité) ce qui nous est demandé. Il y a des raisons à cela.

« Premièrement, l'e-mail évite le contact humain entre les deux parties, et donc on n'a pas la dimension de l'engagement que l'on avait autrefois, lorsque deux paysans " topaient " sur un marché aux bestiaux.

« Ensuite, en pratique, négocier une demande reçue par e-mail se fait soit par d'autres e-mails, mais c'est fatigant, et on a tous déjà trop d'e-mails, soit de vive voix, mais alors on se heurte aux problèmes qui nous ont fait choisir l'e-mail au départ comme moyen de communication (indisponibilité des personnes, traces écrites, etc.).

« Enfin, dire " non " sans agressivité est une compétence qui ne se maîtrise pas facilement, et le faire par écrit est bien souvent au-dessus des capacités de nombre de personnes, tandis que laisser dormir un e-mail sans y répondre est si facile… »

Monsieur X, P-DG d'un groupe industriel certifie : « L'e-mail est un outil de productivité pour le dirigeant que je suis et les salariés des entreprises que je gère, pour transmettre immédiatement de n'importe où et à n'importe quelle heure, à mon destinataire, la réponse attendue. L'e-mail en ce sens me procure une certaine souplesse en termes d'organisation. En revanche, l'aspect très négatif que j'observe de la part de certains est qu'ils ont le courriel facile. Ce dernier devient alors un réflexe ou un prétexte pour se donner bonne conscience et ne pas accomplir le travail. »

Chantal Buhagar, psychosociologue, spécialiste des questions de management et de développement des compétences, émet des doutes quant à l'efficience des réunions collectives, en raison des incessantes interruptions de l'attention, par irruption des e-mails sur les écrans de chacun des participants.

« On vient aussi en réunion avec son smartphone, plus discret en apparence, mais encore plus présent. L'e-mail devient un outil à réponse immédiate, alors qu'il pourrait permettre un relatif différé : qu'est-ce qui nous empêche de les lire et les traiter deux heures plus tard, à l'issue de la réunion pour laquelle nous sommes censés nous mobiliser ? Quelle valeur ont les échanges, les décisions dans ce flottement de l'attention, ce croisement constant d'informations qui se télescopent dans les cerveaux ? Pour certains, avoir à faire une présentation devant un groupe de collègues est devenu un calvaire ! »

Le poids de la messagerie pour les salariés

Le constat des différentes études menées pour suivre l'activité des cadres est assez unanime, concernant la place de l'e-mail dans leur journée : celle-ci est prépondérante, voire écrasante. Ainsi, l'étude de 2011 sur « l'impact des technologies de communication sur les cadres », menée par l'APEC, l'université de Lyon et le GREPS, a mesuré la répartition des activités d'un cadre sur une demi-journée : près de 54 % du temps était consacré au traitement des e-mails.

Ce temps ne comprend pas le temps, nécessaire, pour se concentrer à nouveau sur une tâche ou un dossier, mis en suspens le temps de traiter l'e-mail. Pourtant, c'est bien cet émiettement du temps de travail qui pose un réel problème. Répartir les différentes tâches dans des tranches horaires distinctes n'est pas suffisant car, pour les cadres et la majorité des salariés, l'e-mail est devenu partie intégrante de leur travail. Il y a souvent un entrelacement des tâches : ainsi, un point téléphonique, une réunion, une Web conférence peuvent donner lieu à des e-mails récapitulatifs.

Cependant, c'est bien dans le sens d'une reprise de contrôle du salarié sur son temps de travail que l'on doit se diriger. Celui-ci, même inconsciemment, laisse la tyrannie des microcoupures faire de sa journée une longue succession de tâches à peine commencées et déjà abandonnées pour un e-mail, un appel téléphonique, des entretiens, l'envoi de SMS, de réunions, qui se succèdent dans une valse chaotique…

Chantal Buhagar a recueilli le témoignage d'un chef de projet, qui lui confiait que son manager traite ses e-mails en entretien avec lui : « Mon manager fait en permanence deux choses ; si vous êtes en rendez-vous avec lui, il répond parallèlement à ses e-mails entrants, en flux continu. » Et Chantal Buhagar de commenter : « Autrement dit, ce manager prouve à son collaborateur qu'il ne sait ni trier ni différer ni prioriser ni prendre du recul. Belle image d'exemplarité donnée là. On notera aussi la qualité de l'écoute et le message non verbal donné au collaborateur : tu es moins important que mes e-mails. Bon nombre de salariés captent ce message cynique, qui n'est pas sans impact sur l'évolution des relations au sein des équipes. »

Selon Valérie Andrade, directeur marketing et communication chez ADP, « l'e-mail est un moyen de communication qui permet de faire circuler des informations et des pièces attachées. C'est un outil mature, bien installé et même universel. C'est l'une des premières fonctionnalités déployées sur les solutions mobiles, smartphone et tablette, encore plus lorsqu'elle est couplée à la gestion de l'agenda.

« L'e-mail est aussi devenu un moyen de communication parmi d'autres : le téléphone, le SMS, le *chat*, les blogs, les forums, les médias sociaux, et c'est probablement le canal le plus saturé du fait de sa surutilisation et de sa mauvaise utilisation.

« Il est assez rare d'entendre une personne parler positivement de sa boîte électronique.

« Soit cette personne s'exprime en râlant : " Je reçois trop d'e-mails. " ; " En rentrant de congés, j'ai tellement d'e-mails en attente que ma première journée est entièrement consacrée à leur traitement. " ; " Je n'ai même plus le temps de classer mes messages. "

« Soit elle évoque un stress : " Je n'arrive plus à traiter tous mes e-mails. " ; " Il me harcèle depuis des mois. " ; " J'ai reçu un e-mail vraiment agaçant la veille d'un week-end, ça a le don de m'énerver. " »

Management et gestion du conflit par l'e-mail

La communication n'est pas une chose facile, car c'est bien connu, « plus le chemin est long, plus le message d'origine tend à être déformé », qu'il soit transmis de vive voix ou par téléphone. Le courriel accentue ce risque en raison de son côté impersonnel et discret. Il est bien souvent utilisé là où un simple appel ferait l'affaire.

La discrétion étant un motif souvent mis en avant pour justifier cette démarche, de même que le souci de gagner du temps, il est tentant d'adresser des objectifs, des analyses quantitatives ou qualitatives, de donner des directives, de distiller des conseils, de féliciter, voire de réprimander par e-mail, le tout sans se déplacer, sans élever la voix. Par la simple magie de l'e-mail, les managers parfois timides peuvent jouer les terreurs, et les tyrans peuvent se transformer en « gentils ». Mais ce management virtuel, pour reposant qu'il soit, atteint vite ses limites. Car non seulement les courriers électroniques s'avèrent extrêmement frustrants pour les protagonistes d'un conflit naissant, mais de plus, ils laissent des traces, facilement utilisables lors d'un litige.

• Frein à l'échange ou déballage

Chacun y va de son interprétation, et de sa capacité à étoffer son courriel (ou celui de son supérieur) de graphiques, tableaux, illustrations et autre jeux de polices de caractères, pour faire passer le même message. L'effet pervers d'une communication dense et lourde est bien connu : trop d'infos tuent l'info. L'essentiel se perd dans le désordre hiérarchique et les artifices et, parfois même, n'arrive jamais quand la boîte de réception sature !

Force est de constater que ces nouvelles technologies éloignent de plus en plus les individus dans les relations professionnelles. La communication tend à passer de plus en plus par des réseaux, plutôt que par des entretiens physiques. Internet a ouvert l'accès au monde entier et, aujourd'hui, chacun communique de la même manière avec ses collègues d'une même division ou d'un même groupe, qu'avec des interlocuteurs situés aux quatre coins du monde. Ces changements font perdre des repères dans les missions d'encadrement, d'animation, de gestion et de direction qui caractérisent un métier. C'est ainsi que l'on parle de plus en plus d'« e-management » ou de management électronique.

Un e-mail ne remplacera jamais un appel ou un simple échange verbal. En raison même de cette notion d'échanges. Une réprimande par courriel ? L'accusé ne peut se défendre immédiatement. S'il n'est pas réellement fautif, il va passer de longues minutes, parfois plus d'une heure, à rédiger une réponse pour faire valoir ses arguments, soucieux de faire reconnaître une injustice. Doubles dégâts pour l'entreprise : du temps perdu, qui aurait été économisé par un simple coup de fil ; un salarié vexé et démobilisé.

• Alibi ou preuve : gare aux dérives !

Bien que virtuel, l'e-mail laisse des traces et peut devenir espion ou « cafteur ». Pour le manager et ses subordonnés, son utilisation présente plusieurs dérives à éviter.

Le courriel a la force de l'écrit et l'instantanéité de la parole, mais sans droit de réponse immédiat. Il est une missive électronique qui peut avoir la force d'un missile. Il ne permet pas de se raccrocher à d'autres indices émotionnels (gestes, intonations, postures corporelles).

D'un outil de communication, le courriel devient un canal par lequel il est très facile de bafouer les règles managériales, des plus basiques (formules de politesse) aux plus fondamentales (respect) et, dans le pire des cas, d'agresser même la personne.

Par exemple : « Mon boss me confiait régulièrement par e-mail tous les défauts qu'il trouvait aux femmes de mon équipe, confie Yan, chef des ventes. Quand on se voyait, il n'en reparlait jamais, comme si, une fois écrit précédemment, son problème était résolu. L'e-mail lui permettait de ne pas en discuter. C'est une frustration pour les collaborateurs et un réel manque de courage, à mon avis. »

D'autres exemples sont éloquents : des commentaires désobligeants sans état d'âme, des traits d'ironie inappropriés, des menaces indéfinies si les objectifs ne sont pas atteints, comme si la fin du monde arrivait, sont envoyés à tout un groupe, une entité, une agence ou à un collaborateur. Les commentaires sur le manque de productivité, voire la médiocrité de tous ou de certains collègues, vont bon train : « Nous sommes mauvais. » ; ou pire : « Vous n'êtes pas bons… » On assiste également à des cas où les collaborateurs sont nommés et comparés les uns aux autres, comme dans une étude comparative. Le terme « facilité » résume à lui seul les dérives que nous enregistrons chaque jour par ces témoignages.

Heureusement, ou par malchance, selon le côté de la barrière où l'on se situe, les écrits restent, et ce qui est vrai pour un contrat l'est également pour un e-mail. Un collaborateur en litige avec sa hiérarchie peut parfaitement utiliser les courriels que celle-ci lui a envoyés. En cas de plainte pour harcèlement moral, ces pièces peuvent s'avérer plutôt convaincantes. Sans être une preuve irréfutable auprès d'un tribunal, un e-mail est néanmoins parfaitement daté, même l'heure d'envoi y figure, le nom de l'expéditeur apparaît sans aucun doute possible.

En conclusion sur l'**e-management,** nous pouvons retenir que le courrier électronique doit donc être utilisé pour ce qu'il est : un super facteur et non pas un palliatif à la voix humaine. Il permet d'économiser un temps fou lors du transfert de documents, mais il n'évite pas une explication orale. Il peut permettre de rappeler par écrit ce qui a été dit, au cours d'une réunion ou d'un face-à-face, sans jamais perdre de vue que les phrases que l'on tape sur son clavier peuvent être gravées dans le marbre. Raison de plus pour ne pas se lâcher, ne pas colporter de ragots par ce biais. Ce n'est ni le lieu ni la place pour tenir des conversations de couloir. Le manager peut user de l'e-mail pour se détendre avec ses amis, pas avec ses collaborateurs.

E-mail
et santé au travail

Au-delà des situations managériales décrites dans le chapitre précédent, il est important d'analyser la « descente aux enfers » due essentiellement à une mauvaise utilisation de l'e-mail dans le cadre de relations professionnelles.

Quand l'e-mail génère le conflit...

Deux situations, qui peuvent conduire à des dérapages, se rencontrent fréquemment.

• Première situation : les e-mails « ping-pong »

L'e-mail « ping-pong » consiste en des envois successifs d'e-mails au sein d'un groupe d'individus sur le même sujet, avec des relances multiples sur des sujets secondaires, ou des rajouts répétés de commentaires, et bien souvent assez peu de valeur ajoutée. Dans le pire des cas, l'e-mail « ping-pong » finit avec des participants qui n'étaient pas présents au début des échanges.

• Deuxième situation : les e-mails « flamme »

Les e-mails « flamme » sont des e-mails contenant beaucoup d'adrénaline, de mise en cause d'autrui. Ils sont créés lorsque quelqu'un a quelque chose à reprocher à quelqu'un d'autre, dans le cadre de discussions qui s'enveniment. La mauvaise interprétation du contenu et la forte probabilité que le destinataire réponde violemment exacerbent souvent la situation.

Dans une discussion en face-à-face, où le langage non verbal est perçu, il est possible de rectifier et de réagir pour amoindrir les émotions trop fortes. C'est ce que l'e-mail ne permet pas, et ces limites augmentent le nombre d'incompréhensions, qui peuvent avoir des conséquences parfois dramatiques entre des collaborateurs censés travailler en équipe ou sur un projet commun.

Violence avérée par e-mail et harcèlement

L'e-mail est malheureusement un outil susceptible de contribuer au harcèlement moral. Il est potentiellement une source de violence insidieuse, lorsqu'il est utilisé à des fins manipulatoires ou qu'il conduit à un abus d'autorité.

Rappelons que le harcèlement moral (agissements répétés, interdits par la loi, ayant pour effet une forte dégradation des conditions de travail de la personne concernée, parce qu'ils portent atteinte à ses droits et à sa dignité ou altèrent sa santé physique ou mentale ou encore compromettent son avenir professionnel) est un délit puni de 2 ans d'emprisonnement et de 30 000 € d'amende.

« À partir du moment où l'e-mail est envoyé, on en perd le contrôle. Aussi, je prends grand soin à sa rédaction et garde toujours à l'esprit qu'il a, de facto, une portée potentiellement légale », affirme M. X, P-DG d'un groupe industriel.

M. Y, secrétaire général au sein d'une PME, considère que « la meilleure gestion de conflit que l'on peut avoir est d'échanger. L'e-mail joue un rôle important dans la gestion des conflits parce qu'il permet non seulement d'échanger, mais aussi de partager des documents en pièces jointes. En revanche, l'e-mail comporte l'inconvénient de provoquer parfois un nouveau conflit. Il m'est déjà arrivé, par exemple, d'essayer d'intervenir après un envoi malencontreux d'un e-mail par le P-DG d'une entreprise à la mauvaise personne et sur le mauvais sujet. »

Diverses études sur le stress et l'e-mail

On note que 46 % des salariés français sont « infobèses », incapables de (di)gérer les informations dont ils sont bombardés toute la journée. Pour 74 % d'entre eux, les interruptions constantes engendrées (par les courriels, SMS ou appels téléphoniques) sont un facteur de stress. (Source : http://ow.ly/f7GOO)

Selon une étude menée par IBM, le stress induit par la nécessité impérieuse de répondre aux courriels affecte en moyenne 48 % des travailleurs, et ce chiffre se porte à 54 % dans les groupes comptant plus de 500 employés. 7 % considèrent l'e-mail stressant. La moitié des personnes interrogées estime que les e-mails sans réponse sont également de nature à contribuer au stress en milieu professionnel. (Source : http://ow.ly/eOCjg)

Effets psychologiques de « l'infobésité »

Chantal Buhagar répond à la question des éventuelles conséquences négatives de l'e-mail sur la santé des salariés :

« Ils se disent saturés, inondés, agacés, empêchés de vaquer à leurs occupations, et parfois stressés devant ce flux incessant. Un manager de proximité, de retour après deux semaines de repos, trouve 1 200 e-mails dans sa boîte. Il me dit regretter de ne pas les avoir traités pendant ses vacances. Aujourd'hui, la majeure partie des responsables que je rencontre renoncent ainsi au repos complet : certains traitent leurs messages en continu, d'autres y consacrent le dernier jour de leurs congés. Beaucoup en arrivent à craindre les vacances, car ce flux ne cesse jamais, et leur cerveau ne se repose jamais vraiment non plus. Et c'est l'omerta sur cette pression pourtant collective ! La quantité d'e-mails et l'obligation d'avoir à les traiter, quoi qu'il se passe, sont devenus des invariants. Plus personne n'imagine s'y dérober, et ça, oui, c'est une évolution notoire sur ces dix dernières années !

« Pour ma part, j'entends la plainte, mais pas l'action : tout le monde se plaint de ces vagues d'e-mails, mais personne ne réagit concrètement. Or, se plaindre est une façon de se maintenir en l'état. La plainte est une manifestation superficielle, elle est là « pour en parler » ou encore « pour faire partie du club », mais surtout ne rien changer. Se plaindre évite d'agir et de se positionner contre les us et coutumes de son entreprise, par exemple ; elle évite d'avoir à exprimer clairement une demande à son chef, à ses collègues. Aujourd'hui, personne ne pense qu'il peut influer sur ce qu'il considère comme un invariant, une donnée immuable face à laquelle il ne peut rien. J'observe ce sentiment d'impuissance, ce renoncement avant même d'avoir posé le problème.

« Y aurait-il donc quelques gains ? Curieux d'imaginer qu'on y gagne quelque chose, alors même qu'on dit crouler sous cette avalanche ! Même si le miroir que je tends ici est désagréable, reconnaissons récupérer quelque bénéfice à cette calamité. Au-delà des apparences, la quantité d'e-mails est vécue comme une **preuve de notoriété** : la place que j'occupe dans l'entreprise est proportionnelle au nombre de mes e-mails entrants. " Voyez comme je suis indispensable, même en vacances ", semblent nous dire les managers qui arborent fièrement leur score. Parfois même, c'est une preuve d'existence : j'existe dans l'entreprise, puisque tous ces gens comptent sur moi ou me rendent compte. L'omniprésence et la visibilité deviennent les nouveaux codes d'existence, reléguant au placard d'autres critères : pertinence des analyses, décisions opportunes. »

• Un rapport au temps modifié

Avec l'avènement d'Internet et notre usage quotidien (intensif pour certains) des médias sociaux, le temps semble se rétrécir. Les journées nous paraissent de plus en plus courtes au regard

de l'accumulation des micro-tâches à accomplir quotidiennement et, paradoxalement, le temps semble filer à une allure
effrénée. Rien n'arrête le flux incessant de *pokes*, *likes*, tweets,
retweets, mises en favoris, e-mails… Les URL défilent à une
vitesse incroyable et témoignent de la créativité des uns, de la
quête de reconnaissance des autres, du désir et/ou du besoin
de socialisation de beaucoup… Nous éprouvons de plus en
plus ce sentiment d'urgence à la prise de décision et à l'action.
Il est fréquent d'entendre certains affirmer : « Toutes mes priorités viennent d'être bousculées par l'arrivée de cet e-mail, et
les délais qu'ils (mes supérieurs hiérarchiques ou collègues
dépendant de mon action) m'imposent ! »

Paradoxalement, avant de réussir à lâcher prise, nous pouvons éprouver la crainte de rater quelque chose d'innovant ou
d'important, et, parfois, nous en ressentons de la culpabilité !

Les frontières spatio-temporelles s'évaporent. Les instants
présents s'entassent, se chevauchent et se confondent. Notre
rapport au temps se modifie. Il est de moins en moins linéaire
et de plus en plus défragmenté, mouvant, dilué. Il est donc à
présent de plus en plus difficile d'élaborer une construction
temporelle, avec ce que j'ai fait hier (passé), ce que je suis en
train de faire, pour de vrai (présent), et ce que je ferai, avec

certitude, demain (futur). TOUT est présent, le reste compte peu, ne compte pas ou plus. Depuis les années 1980, nous sommes passés à un espace long/temps court. Les nouvelles technologies ont contribué à favoriser l'apparition du symptôme de désorientation temporelle.

• Un rapport au travail qui change

Comme nous venons de l'évoquer, notre rapport au temps est fondamentalement changé par rapport à celui des générations précédentes. Nos représentations psychiques relatives au temps sont donc également modifiées. Mais celles qui ont trait à l'action, la responsabilité, le travail bien fait (son utilité socioprofessionnelle), sa place dans le système… le sont également !

On peut se demander si la surexposition aux stimulations (abondance d'e-mails et SMS reçus, notifications de messagerie instantanée et participation aux activités du Web et des médias sociaux), ainsi que le « surengagement » sensoriel, n'engendreraient pas une forme de désengagement de l'esprit.

Certes, les représentations de son rôle, de soi et de la valeur de son travail évoluent à la mesure des modes d'interaction et des outils de travail qui sont modernisés, mais n'y perdons-nous pas quelque part du sens ? En effet, quel sens cela a-t-il aujourd'hui de répondre à un message dans un délai de plusieurs jours ? Nombre de personnes confesseront que, si elles ne répondent pas immédiatement à une requête, celle-ci ne pourra être traitée par elles.

Dans la mesure où les demandes en attente de traitement s'accumulent, ce qui n'est pas géré dans l'instantanéité est finalement relégué au rang des causes oubliées. Nombreux sont les managers qui ont une perception ambivalente à l'égard des e-mails. Ceux-ci sont indispensables pour transmettre leurs consignes, tout en permettant de conserver une trace écrite. En revanche, ils regrettent que la responsabilité de « porter une action » soit diluée avec l'usage du courriel. Combien sont les managers qui se sont entendu dire ? « Non, je n'ai pas fait ce que tu m'avais demandé, parce qu'en fait j'attendais une réponse de ta part à mon dernier e-mail, pour être sûr/e et éviter de mal faire. »

Vers une certaine déshumanisation ?

Combien encore sont ceux qui envoient des e-mails à leurs collègues, collaborateurs ou supérieurs hiérarchiques, tandis que deux cloisons séparent leurs bureaux respectifs ? En passant de la culture orale (où la parole avait une grande valeur) à une culture de l'écrit et de la trace laissée, la responsabilité de l'action passe de l'expéditeur au receveur, sans que ce dernier ne puisse se dérober. En ce sens, les échanges électroniques constituent un facteur de désocialisation et modifient les règles habituelles de la communication.

Ce n'est pas parce qu'une personne a reçu un e-mail contenant la consigne d'une tâche à effectuer et qu'elle n'y répond pas, qu'elle consent à l'effectuer ni même qu'elle l'effectuera ! Cette personne pourra aussi décider de la réaliser, mais à contrecœur et sans que le demandeur (l'émetteur) ait connaissance de cette réticence !

Enfin, ce n'est pas parce qu'une personne accuse réception d'un e-mail contenant une consigne, en confirmant qu'elle va réaliser ce qui est demandé (avec ou sans délai), qu'elle va effectivement le faire ! Il peut s'agir en effet d'une stratégie visant à gagner du temps ou à ne pas perdre la face.

Nombre de managers ont pu constater que certains de leurs collaborateurs devenaient experts en déresponsabilisation ou encore en transmission de « patate chaude » par e-mail, voire en procrastination.

Finalement, le courriel et les autres échanges électroniques n'ont-ils pas enfermé les managers dans un rôle plus administratif, moins humanisé et ainsi contribué à affaiblir le lien qui les unissait à leurs équipes ?

• Des effets encore inconnus et peu maîtrisés

Il n'existe pas encore d'études ayant une validité scientifique qui mette en valeur les implications psychologiques (à moyen et long terme) des échanges électroniques (e-mails, *chats*, etc.) sur la santé des travailleurs. Du reste, l'avènement des médias sociaux étant encore récent, nous manquons de recul pour évaluer les conséquences d'une surexposition aux sollicitations électroniques sur la santé mentale au travail. L'accent a été surtout mis ces dernières années sur l'augmentation des TMS (troubles musculo-squelettiques) ainsi que sur les conduites suicidaires (consécutives à une perte de sens au travail et/ou au climat social et/ou aux méthodes managériales).

S'il paraît évident que des difficultés professionnelles trouvent généralement une explication multifactorielle, il serait intéressant d'isoler les éventuelles conséquences spécifiques d'une exposition quotidienne, intensive et durable, aux échanges et sollicitations électroniques sur le psychisme et la productivité des salariés. Il y a fort à parier que nous découvririons des symptômes spécifiques (troubles de l'attention, de la mémorisation, du langage, passages à l'acte, symptômes somatiques consécutifs à une nouvelle forme d'angoisse, etc.), liés à ces nouveaux modes d'échanges, de collaboration et de travail.

Les risques de l'hyperconnectivité

L' « hyperconnectivité » est un terme inventé par les chercheurs canadiens Anabel Quan-Haase et Barry Wellman et, bien qu'il n'existe pas encore de définition acceptée du terme, celui-ci fait référence à de nouvelles formes d'interactions et de collaborations en réseau. Il se caractérise par l'utilisation régulière (voire quotidienne) et intensive (voire systématique) du courrier électronique, de la messagerie instantanée, du téléphone, des outils du 2.0 : partage, publication, recherche, achat en ligne, jeux en ligne, visioconférence… (Sources : http://hyperconnective.org – http://hyperconnective.org –http://hyperconnective.org)

Dans un article intitulé « Salariés hyperconnectés, quels sont les risques ? », publié sur le *Journal du Net* (source : http://ow.ly/eKlmn), il est évoqué que l'hyperconnectivité engendre au moins trois types de risques…

• **Un déficit de la concentration :** réaliser simultanément plusieurs tâches engendre une stimulation intellectuelle intense, ce qui peut générer notamment une fatigue oculaire, une désorientation spatio-temporelle, une perte d'appétence pour les actions non réalisables de façon immédiate…

• **Un déficit de l'attention :** les fenêtres *pop-up* qui s'ouvrent inopinément sur le poste de travail contribuent, en nous déconcentrant, à une perte d'attention pour la tâche en cours.

• **Un déficit de la mémoire :** la « surstimulation » de la mémoire à court terme peut avoir pour conséquence de rendre moins efficientes nos mémoires à moyen et long terme, parce que délaissées au profit de la sollicitation excessive de notre mémoire à court terme, celle qui est utilisée dans l'immédiateté des situations.

Les signes cliniques d'alerte

Si vous interviewez un cadre stressé par la gestion de sa messagerie et l'expérience d'hyperconnectivité, celui-ci vous répondra…

- J'éprouve régulièrement le sentiment de ne pas achever mes actions.

- Au moment d'ouvrir un e-mail reçu de certaines personnes, j'appréhende d'en lire le contenu.

- Certains jours, je voudrais que celui qui a inventé l'e-mail reprenne son invention, et ne plus jamais en entendre parler.

- Dans certaines situations, lorsque je prends connaissance de mes e-mails, je ressens parfois de la culpabilité vis-à-vis de mes collaborateurs, ma famille, mon employeur.

- J'ai occasionnellement des troubles du sommeil : difficultés d'endormissement ou réveils en fin de nuit.

- Je m'interroge sur la qualité de mon organisation personnelle et professionnelle, parce qu'il m'est de plus en plus difficile de concilier les deux.

- Je ne sais pas comment font les autres pour réussir à boucler leurs journées.

- Je sens que j'aurais besoin de vacances et, si je n'en prends pas, je sais que le stress et la fatigue me feront tomber malade (quitte à prendre des congés, je préférerais être encore en bonne santé pour en profiter).

- Je sursaute lorsque le téléphone sonne.

En dépit du fait que le courriel, dans notre quotidien, ne peut être, à lui seul, à l'origine d'une situation de détresse, il peut y contribuer.

- **Êtes-vous vous aussi débordé/e ?**

Si votre réponse est « oui » à une ou à plusieurs des questions ci-dessous, vous pouvez vous trouver dans une situation à risque, et la recherche de solutions psychologiques et/ou professionnelles est alors recommandée.

- Vous ressentez une fatigue intellectuelle et physique ?
- Vous avez le sentiment de vivre des difficultés de communication avec vos collègues ou votre supérieur hiérarchique ?
- Vous éprouvez de la lassitude, voire du désintérêt vis-à-vis des informations qui s'échangent au sein de votre entreprise ou des tâches qui vous incombent ?
- Vous vous sentez découragé/e, voire submergé/e, et craignez de ne pas y arriver ?

Une absence de repos cognitif dommageable à long terme

Les expériences vécues nous renseignent sur notre capacité à faire face aux situations délicates, dont celles générées par l'e-mail, qui est vécu, voire subi, comme le catalyseur des interactions et du lien qui nous lient à autrui. L'e-mail fait partie intégrante de la vie d'une majorité d'individus. Cependant, nous ne sommes pas tous égaux face à cet outil : d'une part, nous l'utilisons et le gérons avec plus ou moins de facilité ; d'autre part, nous nous trouvons contraints par notre activité de lui accorder une place plus ou moins importante au sein des différentes sphères de notre vie. Les individus réagissent différemment, et il existe des facteurs aggravants : certaines périodes de la vie, certains états physiques et psychiques… durant lesquels l'organisme est plus enclin à éprouver du stress.

Le stress, ce symptôme de la modernité, est une réaction physiologique, qui permet de mobiliser nos ressources face à une tâche à accomplir, un danger à affronter. Il est une réaction presque réflexe, naturelle, à une stimulation extérieure physique, psychique ou sensorielle. Cette sorte de réponse réflexe se décompose en trois phases : alerte, résistance, épuisement.

Devenu de plus en plus présent dans nos sociétés, l'état de stress permanent devient néfaste et se traduit par des symptômes que nous détaillerons plus loin (voir p. 71 à 73) et qui, à terme, peuvent entraîner des troubles psychiques et physiques importants.

Le risque consiste en ce que, pour des raisons diverses, l'e-mail en arrive à polluer notre vie, à amputer celle-ci de minutes précieuses et finisse par handicaper notre capacité à agir de façon efficiente. Insidieusement, il peut nous mettre en état d'alerte et de résistance permanent, jusqu'à nous conduire progressivement à l'épuisement (ou y contribuer plus ou moins fortement).

Vie perso/vie pro, une frontière poreuse

En raison notamment de l'explosion du phénomène smartphone, l'e-mail personnel a tendance à s'inviter en entreprise, et l'e-mail professionnel, réciproquement, est réceptionné chez soi à tout moment.

« Plus la taille de l'entreprise est importante, plus le nombre d'e-mails reçus par les dirigeants et les salariés est conséquent, en raison notamment de la pratique de la mise en copie. Il est alors très facile de tomber dans le piège consistant à prendre connaissance de ses messages le soir et le week-end. Il est alors très difficile pour les intéressés de débrancher. Ils sont soumis à une pression énorme », déclare M. X, P-DG d'un groupe industriel.

La question de l'identité par l'e-mail

« Pas d'adresse e-mail = pas d'existence. » Au sein de l'entreprise, l'e-mail peut amener les collaborateurs à une représentation subjective de leur position sociale, de leurs sentiments d'appartenance ou d'exclusion. Il peut rapidement devenir l'unique témoin de leur « existence », professionnelle et/ou sociale, et ainsi les enfermer dans un processus identitaire dangereux. Prenons l'exemple du premier jour d'arrivée en entreprise… Avant l'e-mail, l'arrivée (existence) du nouvel employé était annoncée par écrit et accompagnée de présentations formelles dans les différents bureaux. Depuis l'e-mail, l'arrivée est anticipée et annoncée par courrier électronique.

Une identité liée à celle de l'entreprise

Cet exemple, que bon nombre d'entre nous vivons systématiquement, introduit le concept « d'identité au travail » qui, au-delà d'une « simple » identité sociale, peut dériver vers une véritable identité fusionnelle avec l'entreprise. L'interprétation et la lecture de ces faits révèle bien souvent que l'individu n'existe « qu'à la condition » d'être reconnu par son adresse e-mail, contenant elle-même le plus souvent le nom de l'entreprise. Ainsi, inconsciemment, l'identité sociale de la personne peut être dangereusement liée à celle de l'entreprise, qui « valide » son existence en créant son adresse e-mail.

On peut considérer cet élément comme l'un des effets indésirables de la création de l'e-mail professionnel, car en matière d'identité professionnelle, il serait nécessaire de distinguer l'identité professionnelle des individus (et leur identification à l'organisation) de l'identité de l'entreprise.

• **L'identité professionnelle** est ce qui définit une personne, ou un groupe de personnes, sur le plan professionnel ; c'est la définition de son métier principal et l'ensemble des éléments stables et permanents traversant les différentes fonctions remplies par cette personne ou ce groupe.

• **L'identité de l'entreprise,** elle, est constituée par tous les éléments qui permettent de la distinguer et de la définir comme étant « cette » entreprise. C'est l'ensemble des caractères interdépendants, politiques, structurels ou psychosociologiques, qui se sont construits au cours de son histoire. Elle fonde sa spécificité, sa cohésion, sa stabilité dans le temps et, en ce sens, est à rapprocher de la culture d'entreprise.

L'adresse e-mail de la personne dans l'entreprise lie les deux « pour le meilleur et pour le pire ».

● Pour Le meilleur…

Dès que son adresse électronique est créée, insérée dans différents groupes de messageries (Outlook, Lotus, etc.), dès que la personne reçoit des e-mails, elle est considérée comme un élément faisant partie de l'entreprise. Sentiments d'appartenance, motivation, complémentarité, reconnaissance : tous ces éléments sont de nature à fédérer les individus autour d'une culture d'entreprise. De même, être identifié par l'externe (clients, prestataires, etc.) est un gage « d'existence ou d'appartenance à… », jusque dans la vie privée, certains donnant leur adresse e-mail professionnelle en guise de coordonnées, ce qui peut signer leur attachement à leur entreprise (« j'aime ma boîte »).

● … et pour le pire !

Certains iront jusqu'à considérer que plus ils envoient/ reçoivent d'e-mails, plus ils exercent une forme de pouvoir. On retrouve certaines de ces déviances chez certains managers abreuvant leurs collaborateurs de fichiers Excel, de process, et ne prenant plus la peine d'utiliser le téléphone pour expliquer, dans des situations où, pourtant, la voix, le ton, la façon de dire sont tout aussi importants que le contenu du message. Conséquence : l'adresse e-mail devient ici une identité de pouvoir, au-delà même de l'identité professionnelle.

La perte de l'adresse e-mail se confond parfois avec une véritable situation de deuil. Effectivement, dans les cas de séparation subie, ce moment crucial où l'employé voit son adresse e-mail « détruite » est vécu comme une agression, parce qu'il signe la fin, interprétée elle-même comme une forme de « mort ».

Au-delà du strict respect du droit social, il est à noter que les process de destruction d'adresse e-mail sont très aléatoires selon les entreprises. Nombreux sont les exemples d'excès, où certains collaborateurs, sommés de quitter l'entreprise, n'ont même pas eu le temps de lire leurs derniers e-mails, ou ont « tout laissé dans leur ordinateur » ou encore découvrent en arrivant dans leur bureau que leur ordinateur ne répond plus à leur mot de passe. Conséquence : l'adresse e-mail est vécue ici comme le droit « de vie ou de mort » de l'entreprise sur l'individu.

Deuxième partie

Réagissez !

Les 7 plaies
de l'e-mail

Nous pouvons lister sept plaies liées à une utilisation inappropriée de l'e-mail.

Plaie n°1 : plusieurs pièces jointes sans explication

Vous venez de recevoir un e-mail… Le « petit trombone » associé indique que celui-ci comprend au moins une pièce jointe, mais l'intitulé du message n'est absolument pas explicite. Vous décidez de l'ouvrir pour juger rapidement de son importance, mais les quelques lignes de commentaire (par exemple : « suite à notre réunion sur le projet X, je vous adresse les documents qui vous permettront de saisir où nous en sommes »), et les intitulés des pièces jointes (aussi limpides que Staff07-12-2011 ou VB23-01-2011), ne vous apprennent pas grand-chose… Vous n'avez alors qu'une seule possibilité pour connaître le contenu de ces pièces jointes : les ouvrir les unes après les autres, avec la perte de temps et la désorganisation que cela implique !

Plaie n°2 : des destinataires en copie plus nombreux que les destinataires directs

Cette plaie est la plus répandue dans les entreprises fortement hiérarchisées et correspond à une version numérique du parapluie. En effet, pour se couvrir, beaucoup préfèrent adresser un message non seulement aux personnes directement concernées, mais aussi à celles qui pourraient l'être de beaucoup plus loin. Lorsque vous ouvrez ce type de courriel, vous ne comprenez pas pourquoi il vous est adressé : le contenu est en dehors de votre domaine d'activité, et vous découvrez que 18 personnes sont, comme vous, en copie. En revanche, il n'y a que 5 destinataires « officiels »…

• Comment interpréter ce travers ?

Chantal Buhagar s'interroge sur le sens que peut avoir le fait de mettre un tiers en copie.

« Tout le monde s'en plaint et tout le monde continue à le faire. Pourquoi recevons-nous des messages en copie dont on ne sait que faire !? L'inconvénient, pour l'émetteur, de paraître ignorer qui précisément suit un dossier, d'arroser sans réfléchir, est largement compensé par le signe implicite qu'il signifie alors à ce tiers : je ne veux pas prendre le risque de te vexer en ne t'informant pas ; je sais que cela ne te concerne que de loin, mais ta position (et non le sujet exact du courriel) m'interdit de t'ignorer ; il est normal de te prendre en compte, je te suis donc " redevable ". Autrement dit, ce signe clair d'allégeance vient dire à la personne en copie : " Tu comptes pour moi. " Il n'a que peu de choses à voir avec le contenu de l'e-mail ; c'est un signe relationnel. Dès lors, pourquoi se demander comment il convient de réagir ? La seule réaction attendue, en réalité, est un autre signe d'allégeance, en retour, sur un autre dossier. Pas grand-chose à voir avec l'opérationnel des dossiers concernés. »

Plaie n°3 : les réponses de masse (copie et destinataire)

Cette plaie est l'effet boomerang de la plaie précédente ! Vous avez envoyé votre précédent e-mail à autant de personnes que possible, et vous en récoltez rapidement les fruits, sous forme de réponses plus ou moins cordiales. L'effet le plus destructeur est le suivant : les personnes qui ne se sentent pas concernés par votre message vous le font savoir et mettent en copie l'ensemble des destinataires qui, dans 99 % des cas, vont eux aussi adopter le même type de réponse. Cette plaie peut d'ailleurs en cacher une autre, bien plus importante, liée au style de management.

Certains managers demandent en effet aux membres de leur équipe de figurer systématiquement en copie des e-mails, par un besoin de contrôle et un manque de confiance alarmants.

Plaie n°4 : des e-mails de 3 pages sans mise en forme

Les outils sont bien faits, surtout quand on les emploie pour l'usage auquel ils sont destinés. L'e-mail n'a pas été pensé pour vous permettre de remplacer un traitement de texte et, pourtant, à lire certains courriels, on pourrait croire que certains sont persuadés du contraire. Quand un e-mail dépasse plus d'une page écran et parfois sans sous-titre, voire simple espacement, on s'interroge sur la volonté du rédacteur d'être lu… L'attention des destinataires risque de ne pas résister à un e-mail de plus de 20 lignes, et ce quel que soit son intérêt ou la qualité de la prose.

Plaie n°5 : les « bourdes »

C'est souvent la précipitation qui est la principale responsable des « catastrophes digitales ». On retrouve souvent les deux exemples types suivants.

• Erreur 1 : l'erreur de destinataire

Vous avez reçu un e-mail qui comprend plusieurs destinataires et désirez répondre seulement à l'un d'entre eux, mais vous mettez tout le monde en copie d'un message qui, surtout, ne devait pas être lu par les autres. Si vous vous en apercevez, après un moment digne du film *Stupeur et tremblements*, vous essayez de retrouver sur votre messagerie la manipulation qui permet de rappeler les messages non ouverts et de les détruire. Un vrai thriller puisque, si entre-temps l'un de vos destinataires ouvre ledit message, votre mission de sauvetage aura échoué !

• Erreur 2 : la mise en copie cachée ratée

Vous adressez une réponse à différents destinataires et en mettez d'autres en copie cachée, en vérifiant bien avant d'envoyer. Tout semble parfait, jusqu'au moment où vous recevez une réponse de l'un des destinataires en copie cachée qui, malicieusement ou maladroitement, a mis l'ensemble des premiers destinataires en copie. Là nous sommes dans la référence *Mensonges et trahisons*, qui peut s'avérer redoutable et abaisser singulièrement le niveau de confiance que vous accorderont désormais vos interlocuteurs.

Plaie n°6 : e-mails sans signature ni coordonnées

De l'absence de signature, à celle toujours différente, car tapée à la main, en passant par l'artistique ou la comique, le choix est vaste, mais souvent déterminant dans l'importance qui sera accordée à l'e-mail. La signature, c'est la vraie conclusion de votre message.

Plaie n°7 : nouveaux outils et vieux usages

Depuis que l'e-mail existe, d'autres outils (messagerie instantanée, par exemple) sont venus répondre plus efficacement à des besoins spécifiques (prise de décision rapide en concertation). Pourtant, dans ces situations, l'e-mail continue à être utilisé, par habitude ou manque de pratique. Vous venez d'envoyer un e-mail et votre interlocuteur y répond quasi aussitôt, vous en profitez pour enchaîner et commencez une partie de « ping-pong » acharnée. Avant que cette situation ne dégénère en conflit, passer à la messagerie instantanée semble logique, mais cette solution est finalement peu utilisée dès lors qu'un premier e-mail a été envoyé. Si vous partagez une messagerie instantanée avec vos contacts, interrogez-vous avant d'adresser un courriel : celui-ci sera-t-il aussi efficace qu'un bref échange par messagerie instantanée ?

L'e-mail efficient

« L'email que vous venez d'envoyer se trouve dans la boîte de réception de son destinataire, que vous le vouliez ou non, en compétition féroce avec tous les autres e-mails qui s'y trouvent déjà et ceux qui y arrivent continuellement. Dans cette compétition, faire un e-mail efficace signifie faire en sorte que votre e-mail d'une part soit lu, d'autre part soit pris en compte (surtout s'il appelle une action de la part du destinataire) », explique Jean-Jacques Auffret. « Cela demande un peu plus d'effort que de simplement écrire l'email " comme il vient ", mais en général cet effort est récompensé. »

Jean-Jacques Auffret recommande donc, pour structurer un e-mail efficient, ce type de contenu…

• **Pourquoi je te le demande ?** Nous recevons tous des e-mails à divers titres : en tant que manager ou responsable du client XYZ, ou simplement en tant que collègue… Rappeler le rôle de celui auquel on s'adresse aide ce dernier à se mettre dans le bon contexte pour lire la suite.

• **Ce que je te demande.** Ensuite, droit au but : il faut exprimer sa demande le plus simplement possible, car c'est l'essentiel du message, qui aide à comprendre la suite.

• **Pourquoi je te le demande.** Nous avons tous tendance à faire plus facilement ce qui nous paraît justifié, alors qu'il nous est pénible de répondre à des demandes qui nous semblent arbitraires. Vous avez donc intérêt à ne pas rester dans l'implicite, et à ajouter une petite explication justifiant votre demande et précisant ce que vous allez en faire.

• **Pour quand je te le demande.** Les demandes sans date sont évidemment plus faciles à laisser glisser vers le bas de la pile. Pour éviter cela, demandez-vous quel est le délai raisonnable que vous pouvez fixer à votre interlocuteur pour faire ce que vous lui demandez. Ce délai doit être un bon compromis entre le temps raisonnablement nécessaire pour faire la chose, et le moment où vous-même en aurez besoin.

• **L'intitulé de l'e-mail.** C'est seulement lorsque vous avez écrit le corps de l'e-mail de manière structurée, comme indiqué ci-dessus, que vous serez en mesure d'écrire le bon « objet » pour votre e-mail. Celui-ci, à l'instar d'un titre d'article de journal sérieux, aura pour double objectif d'attirer l'attention de votre correspondant sur votre e-mail lorsqu'il ouvrira sa boîte aux lettres, et de lui fournir un bon résumé de ses éléments clefs. Exemple d'objet : Principes pour un bon e-mail, propositions (commentaires attendus pour vendredi).

Stress :
définissez vos limites

Du stress au *burnout*, il existe divers états qu'il faut savoir repérer pour éviter le pire : anxiété, fatigue chronique, surmenage…

Stress, anxiété et manifestations d'angoisse

Vous vous sentez inquiet, stressé, anxieux, tendu, craignez d'être en retard pour traiter pleinement et correctement l'ensemble de vos messages, voire appréhendez de ne pas y parvenir ? Le stress n'est pas toujours paralysant, il peut même conduire à une motivation ou une efficience supplémentaires. Par exemple, lorsque le stress est vécu comme un défi à surmonter et ses réactions modérées, il peut devenir un puissant stimulant. Cependant, dans certains contextes, l'usage (professionnel) de l'e-mail peut avoir induit, au fil des mois et des années, une sorte d'attente anxieuse, un état d'alerte et de tension, d'inquiétude permanente, dont l'objet est l'interaction par écrit. Ces interactions se sont avérées positives souvent, et négatives parfois. Le courriel reçu peut nous avoir incités à ruminer, douter. Le courriel envoyé peut quant à lui nous avoir fait éprouver le regret, la culpabilité… Trop vite, trop fort, trop loin, trop de monde concerné… l'e-mail reçu ou envoyé a constitué un signal pavlovien caractéristique de la relation que nous entretenons à notre travail, nos pairs, nos supérieurs, nos collaborateurs.

• Trop ou pas assez d'e-mails, l'anxiété est toujours là

Si le rythme de réception de nos courriels diminue, nous risquons de nous trouver dans une situation d'attente anxieuse, jusqu'à imaginer le pire : mise à l'écart, voire au placard, surveillance accrue ou procédure disciplinaire, licenciement…

Si le nombre d'e-mails reçus augmente, nous risquons d'accumuler du retard ou de nous laisser submerger par une charge de travail accrue. Il devient parfois nécessaire de sacrifier nos soirées et week-ends pour rattraper le retard pris au cours de la semaine écoulée. Les e-mails s'invitent alors dans les lieux et espaces habituellement privés. Ils peuvent être la cause de tensions au sein du couple et d'une baisse d'attention à l'égard des membres de notre famille. Le parent est dorénavant contraint de surveiller sa messagerie et de traiter ses messages une fois les enfants couchés, par exemple. La dynamique du couple et/ou de la famille peut se trouver perturbée, et l'individu, en situation de dissonance cognitive. Ainsi, une personne culpabilisée par l'idée de délaisser ses enfants au profit de la lecture d'un e-mail venant juste d'arriver peut même relativiser, en pensant ou affirmant « de toutes façons, si je ne règle pas cette affaire urgente, je risque des représailles de la part de mon chef ». En réalité, cette méthode de résolution de l'état de dissonance cognitive peut dénoter un attachement presque affectif à son travail, et donc à sa messagerie professionnelle.

• Le risque de troubles psychosomatiques

Si le nombre d'e-mails reçus ne fluctue pas, mais que vous accumulez du retard dans leur traitement, vous pourrez éprouver un sentiment de culpabilité, qui pourrait s'accompagner d'attente anxieuse, ainsi que d'autres manifestations : palpitations, accès de toux, spasmes gastriques ou intestinaux, troubles de l'attention et de la concentration, migraines, maux de dos, crampes, crises de tremblements, bourdonnements d'oreille, crises vertigineuses, brouillard visuel, insomnies…

Comment utilisez-vous vos messageries ?

Avez-vous déjà cherché à calculer le temps que vous consacrez à vos messageries sur votre lieu de travail et durant votre temps extra-professionnel ? Selon un rapport du McKinsey Global Institute, les employés de bureau, aux États-Unis, passeraient 650 heures par an sur leur boîte aux lettres électronique, soit 28 % de leur semaine à répondre à des e-mails, ce qui, selon l'institut, revient à considérer que les employés ne passent que 39 % de leur temps à travailler vraiment. Savez-vous déjà si vous êtes dans une situation similaire ?

- **Dis-moi comment tu traites ton Inbox, je te dirai qui tu es**

Jean-Jacques Auffret : « Depuis l'apparition progressive de l'e-mail dans les entreprises, la tâche consistant à traiter ses e-mails entrants est devenue progressivement un incontournable de la journée de travail de tout un chacun. Au fil du temps ont émergé, de la pratique empirique de cette nouvelle technologie, différents styles qui sont tous emblématiques d'une certaine relation au travail. » À vous de trouver celui qui vous ressemble le plus.

Pour la gestion du flux entrant

• **Style « flux tendu ».** Toujours branché sur son e-mail, même en réunion, à l'affût du flux entrant. **Valeurs/croyances :** « jouer au filet », repousser ou traiter un maximum de demandes dans un minimum de temps et d'effort. **Risques :** Ne jamais être concentré pleinement sur une tâche ou une interaction. Ne pas prendre de recul et réagir trop rapidement. Traiter les sujets superficiellement (« ping-pong »).

• **Style « une demi-fois par jour ».** Bloque un nombre limité de plages de temps au cours de la journée pour le traitement du flux entrant. **Valeurs/croyances :** voit l'e-mail comme un médium asynchrone par essence. Estime que la séparation nette des tâches de triage et de traitement crée de l'efficacité. **Risques :** avoir une mauvaise relation de travail avec les personnes de style « flux tendu », surtout en cas d'urgence. Être perçu comme manquant de réactivité.

Réaction aux e-mails

• **Style « Je vois, je fais. »** Est toujours tenté de traiter un e-mail quand il en prend connaissance. **Valeurs/croyances :** privilégie « l'action » à « la gestion ». Voit la réactivité comme un signe fort d'efficacité. **Risques :** dispersion sur des sujets non stratégiques, traitement superficiel des sujets, « ping-pong ».

• **Style « Je vois, je mémorise. »** Prend mentalement connaissance des e-mails à traiter, sans autre système particulier de stockage. **Valeurs/croyances :** peu d'attirance pour les tâches de « gestion ». Confiance dans sa capacité mentale à tout gérer. **Risques :** oublis, impasses. Charge mentale insidieuse, pouvant gêner la concentration et l'implication mentale à 100 % sur un sujet donné.

• **Style « Je vois, j'enregistre. »** Utilise un système concret séparé (par exemple, une liste de tâches) pour traiter les demandes portées par les e-mails entrants. **Valeurs/croyances :** séparer le tri, le choix et l'exécution facilite une approche stratégique, fait baisser le stress, augmente l'efficacité à moyen terme. **Risques :** coût supplémentaire (notamment en temps) du système de gestion.

Apprendre à se connaître avant tout

Pour savoir quel/le débordé/e vous êtes, répondez à chaque question en positionnant votre situation sur une échelle de 1 (pas du tout) à 5 (tout à fait).

1. Consultez-vous vos e-mails au moment du réveil ?
    1 ☐   2 ☐   3 ☐   4 ☐   5 ☐

2. Traitez-vous vos e-mails personnels au travail ?

1 ☐   2 ☐   3 ☐   4 ☐   5 ☐

3. Traitez-vous vos e-mails professionnels le soir à la maison ?

1 ☐   2 ☐   3 ☐   4 ☐   5 ☐

4. Considérez-vous consacrer un trop grand nombre de minutes en moyenne par jour à la gestion de votre messagerie personnelle ?

1 ☐   2 ☐   3 ☐   4 ☐   5 ☐

5. Répondez-vous à vos e-mails professionnels le week-end ?

1 ☐   2 ☐   3 ☐   4 ☐   5 ☐

6. Exercez-vous un métier impliquant des déplacements fréquents et une forme de nomadisme ?

1 ☐   2 ☐   3 ☐   4 ☐   5 ☐

7. Seriez-vous favorable au télétravail s'il vous était proposé ?

1 ☐   2 ☐   3 ☐   4 ☐   5 ☐

8. Éprouvez-vous au cours de la journée un sentiment de lassitude à l'égard de vos e-mails ?

1 ☐   2 ☐   3 ☐   4 ☐   5 ☐

9. Vous est-il déjà arrivé d'éprouver, par exemple, des palpitations ou tremblements au moment de l'ouverture de votre messagerie et/ou de la lecture de certains messages ?

1 ❑   2 ❑   3 ❑   4 ❑   5 ❑

10. Ragez-vous de ne pas parvenir facilement à vous désabonner des *newsletters* ou *spams* que vous recevez ?

1 ❑   2 ❑   3 ❑   4 ❑   5 ❑

• Analysez votre score

Si votre score est compris entre :

• **10 et 30 :** vous ne vous sentez pas encore dépendant/e de votre messagerie et n'êtes pas encore débordé/e par son flux.

• **30 et 50 :** votre messagerie tient une place importante dans votre quotidien. Vous ouvrez et consultez son contenu au moins une fois par jour et faites peut-être même partie de ceux qui « checkent » leurs e-mails 36 fois par heure (source : http://ow.ly/f5LiX). Vous aimeriez être moins souvent sollicité/e et recevoir des messages plus adaptés. Parfois, vous vous sentez débordé/e et aimeriez débrancher.

Reprendre le contrôle

Valérie Andrade propose quelques astuces simples, qui lui ont permis de reprendre le contrôle de sa messagerie, prédisposée à « l'infobésité », compte tenu de la fonction de sa propriétaire :

- un code couleur pour identifier quelques interlocuteurs dans le flot continu des e-mails ;
- arrêter de lire les e-mails où l'on ne figure qu'en copie.
- ne pas répondre de manière spontanée et systématique aux e-mails reçus, voire même ne plus répondre lorsque l'émetteur est un acharné qui abuse ;
- bloquer la réception des e-mails nombreux et automatiques en provenance des médias sociaux ;
- limiter le nombre de messages envoyés à dix par jour maximum réduit automatiquement le nombre de messages reçus.

Vous trouverez également d'autres conseils et astuces dans le chapitre suivant.

S'organiser
et réagir !

Outils et pratiques pour éviter le naufrage

En complément des astuces citées précédemment peuvent être adjointes les actions qui suivent.

• Créer des dossiers

La création de dossiers et de règles de classement est une façon de traiter les messages dans un ordre différent que celui qui consiste à les lire dans l'ordre chronologique ou anté-chronologique. En effet, cela permet de consacrer une plage horaire de la journée, ou de la semaine, au traitement des messages contenus dans la boîte de stockage en question, sans se laisser distraire par les nouveaux messages entrants.

• Lutter contre les spams

Le recours à un outil d'anti-spam et le paramétrage d'un message automatique type, envoyé par un outil d'anti-spam, lors de la réception d'un e-mail en provenance d'un courriel non répertorié dans votre messagerie, vous permettra de diminuer le nombre d'e-mails reçus, de créer une étape intermédiaire entre les spammeurs et vous et, enfin, de contraindre ceux-ci à une action manuelle. Le message peut être rédigé comme suit.

« Bonjour,

Votre adresse e-mail (contact@spotpink.com) n'est pas répertoriée dans ma liste de contacts connus, votre e-mail est bloqué dans mon dossier des spams, en attente de votre authentification.

Cliquez ici pour authentifier votre adresse e-mail. »

Buzzee et Boxbe sont des outils qui permettent le paramétrage de ce type de message.

• Rediriger certains messages

Les redirections automatiques d'une messagerie vers une autre, paramétrées depuis votre hébergeur ou selon le principe des règles, vous permettront de cliver messages et messageries et d'organiser plus facilement le traitement des messages personnels versus professionnels sans interférence, par exemple.

● **Et autres astuces techniques**

● La mise en place d'alertes, avec des signaux sonores différents selon l'émetteur ou le dossier de classement, vous permettra, si vous quittez des yeux votre ordinateur, d'être averti de l'arrivée d'un message urgent ou important.

● L'envoi d'e-mails en différé permet de procéder à un envoi automatique à une date/heure de bonne audience, mais depuis votre ordinateur éteint. Cette manipulation présente l'avantage (qui peut aussi être un inconvénient) de laisser penser à votre destinataire que votre message est effectué en temps réel et que vous êtes en conséquence devant votre machine, sous-entendu disponible (et peut-être aussi disposé/e) au jeu du « ping-pong écrit ».

● Le marquage avec un drapeau d'un e-mail reçu et lu, mais qui nécessitera une action de votre part quelques heures plus tard, lors d'un moment plus propice par exemple. Le drapeau vous permettra de retrouver plus facilement ledit message dans la liste des tâches en attente et parmi une multitude d'autres messages, reçus avant ou après. Ainsi, vous diminuez le risque d'oublier, voire de ne pas retrouver cet e-mail.

• L'ajout de certains émetteurs en tant que VIP vous permettra d'accorder un soin particulier aux messages des personnes désignées comme telles.

• La fermeture de votre messagerie durant des plages horaires aménagées dans votre emploi du temps – on ne le répétera jamais assez –, permettra de mieux vous consacrer à des activités qui requièrent calme et concentration.

Boîtes d'archivage, attention à l'excès...

Vous avez tellement d'e-mails que votre BAL (boîte aux lettres) menace d'exploser et, surtout, que vos collègues du service informatique sont quasi sur le point de la bloquer, alors vient à vous la solution de l'auto-archivage pour regagner de la place. C'est automatique et, de ce fait, vous archivez de façon aveugle les milliers d'e-mails que vous aviez déjà du mal à classer dans votre BAL, en vous disant que vous vous en occuperez rapidement… La crise est là, et l'urgence, rarement bonne conseillère. D'autres pratiques auraient pu vous éviter de vous retrouver dans cette situation inconfortable.

Une étude récente d'IBM a permis de comparer deux attitudes différentes d'utilisation de sa BAL d'entreprise pour

retrouver un e-mail. Certains utilisateurs sont très métho-
diques et classent leurs e-mails dans différents dossiers (12 %
des 300 personnes interrogées). Ce sont en général ceux qui
reçoivent le plus de courriels et trouvent commode de les
classer par thèmes. D'autres se contentent de garder les
e-mails qui pourraient leur être utiles et de jeter les autres.
Ils se reposent sur les capacités de recherche de leur messagerie ou, pour les plus récentes, de *taging* des messages. Le
résultat de l'étude est surprenant, puisque cette méthode
apparaît plus efficace qu'une organisation plus rigoureuse.
(Source : http://is.gd/uDuhaj)

En conclusion : les boîtes d'archivage, oui, mais attention
au syndrome de la voiture avec un coffre toujours plus grand,
mais toujours plus rempli !

Codes de bonne conduite
et pratiques efficaces

La gestion des e-mails est malheureusement trop souvent « oubliée » par les managers, qui considèrent que ce sujet ne relève pas d'un accompagnement et/ou que leurs collaborateurs maîtrisent parfaitement la question. Pourtant, l'accès sans fil aux communications et aux informations est devenu une nécessité pour le personnel mobile de l'entreprise, qu'il s'agisse d'une mobilité extra ou intra-muros. Il est nécessaire de prendre des décisions rapides, basées sur des informations actualisées en tout lieu et à tout moment, pour des performances accrues et une augmentation de la productivité globale.

Ainsi l'e-mail nomade est-il en constante progression, tant parmi les chefs d'entreprise que parmi leurs collaborateurs, lorsqu'ils occupent une fonction commerciale ou opérationnelle.

Redéfinir des bases communes sur le « bon usage de l'e-mail » est donc loin d'être superflu, afin que ce mode de communication soit validé et appliqué par tous les membres d'une équipe, de façon :

- responsable (et spécifiquement pour ne pas mettre l'entreprise en danger) ;

- respectueuse de chacun (notamment pour que la pratique des e-mails reflète l'état d'esprit de l'entreprise et ne soit pas le fruit d'initiatives individuelles et fantaisistes).

Cette mise au point peut revêtir une forme structurée, à visée pédagogique, tant pour les nouveaux venus que pour rappeler les règles communes à l'ensemble d'une équipe. On peut, par exemple, la structurer en trois grandes parties, comme dans les pages qui suivent : l'e-mail responsable, l'e-mail respectueux et respecté, l'e-mail dans l'objectif de la gestion des réunions.

L'e-mail responsable

« Un e-mail n'est jamais anodin », en particulier au sein d'une entreprise.

- **Au niveau global de l'entreprise**

Dans votre rôle d'exemplarité, en tant que manager, il est important de rappeler à votre équipe que le matériel mis à disposition par l'entreprise est avant tout destiné à usage professionnel, qu'il lui est confié pour « cet usage-là exclusivement », de même que toutes les données, identifiants et mots de passe.

Le Byod (*bring your own device*) est le terme anglais qui désigne l'utilisation par le salarié de son matériel informatique personnel (smartphone, PC portable, tablette) dans un cadre professionnel. En France, le phénomène s'étend avec l'arrivée sur le marché du travail de la génération Y (personnes nées entre 1978 et 1994). Ces nouveaux usages confrontent les entreprises à des problèmes allant au-delà des seuls aspects techniques ou de sécurité.

Les menaces pour la sécurité des données

Banaliser l'autorisation des équipements personnels remet en cause le contrôle de l'accès au système d'information. Il est primordial pour la DSI (direction des systèmes d'information) de prendre en compte ces nouveaux usages dans la politique globale de sécurité, en portant une grande attention au contrôle de l'accès au réseau d'entreprise (authentification, droits, etc.), à la sécurité du terminal (protection, chiffrement, etc.) et à la gestion du parc de terminaux mobiles (données, etc.).

Byod et respect des procédures et/ou du règlement intérieur

La simplicité d'usage des nouveaux terminaux fait que les personnes ne peuvent plus s'en passer ; l'explosion de leur utilisation brouille la barrière entre équipements personnel et professionnel. La séparation entre sphère privée et sphère professionnelle devient encore plus diffuse lorsqu'on utilise un seul terminal, le salarié étant à même de se connecter sur ses outils de travail à tout moment. Afin d'éviter l'hyperconnectivité, souvent facteur de stress, managers et collaborateurs doivent veiller à définir et à respecter un cadre de travail pour l'utilisation des outils informatiques.

En termes de politique sociale, il est ainsi essentiel de mettre en place ou de réviser une charte de bon usage des moyens informatiques, en complément du règlement intérieur. Les notions d'assurance et de responsabilité de l'équipement et des données qu'il contient doivent aussi être prises en compte. Il convient notamment de définir la procédure à respecter par le salarié dans l'hypothèse où le matériel personnel contenant des informations professionnelles confidentielles serait endommagé ou volé. (Source : http://is.gd/aaVuHm)

Attention à la valeur juridique de l'e-mail

Toujours dans l'idée de responsabiliser ses équipes, un manager a le devoir de faire entendre le message suivant : « l'e-mail n'est jamais anodin », en particulier au sein d'une entreprise. Effectivement, au-delà de sa valeur intrinsèque, le courriel (et ses éventuelles pièces jointes) a aussi une valeur juridique, ce qui veut dire qu'il sera normalement recevable devant la Justice ; à titre de commencement de preuve. Cela implique de respecter scrupuleusement la politique de conservation des e-mails de l'entreprise, qui lui permettra de se ménager la preuve de ses échanges avec les tiers, notamment ses clients, fournisseurs, etc.

• En matière de prospection commerciale

Quand une équipe réalise de la prospection commerciale, il est également utile que chaque membre soit parfaitement informé du fait que « l'entreprise qui souhaite utiliser la voie de l'e-mail pour ses actions marketing doit avoir à l'esprit les limitations prévues par l'article 34-5 du Code des postes et communications électroniques ». Cet article évoque notamment les obligations strictes qui suivent :

- l'interdiction de toute prospection directe au moyen d'un courrier électronique adressé à une personne physique qui n'a pas exprimé son consentement préalable à recevoir des prospections directes par ce moyen ;
- les coordonnées du destinataire doivent avoir été recueillies à l'occasion d'une vente ou d'une prestation de service ; le destinataire sera donc un client ;
- la prospection directe doit concerner des produits ou services analogues fournis par la même personne physique ou morale ;
- offrir à son client la possibilité de s'opposer à l'utilisation de ses coordonnées lors du recueil des données à caractère personnel le concernant et à chaque envoi d'un courrier électronique de prospection ;
- indiquer des coordonnées auxquelles le destinataire pourra demander à être désinscrit.

Nous restons bien ici dans la responsabilisation des équipes, puisque l'entreprise qui méconnaîtrait ces règles s'exposerait aux poursuites pénales applicables en matière d'atteintes aux droits de la personne, résultant des fichiers ou des traitements informatiques (article 226-16 du Code pénal).

L'e-mail respectueux et respecté

« E-mail respectueux et respecté » pour mettre en valeur la réciprocité du respect… En tant que manager, il s'agit ici d'insister sur l'importance d'un respect mutuel, du style : « Si je respecte les mêmes règles que mon homologue dans la gestion de mes e-mails, je me donne plus de chances que les e-mails que j'adresse soient également respectés, dans mes besoins tant de réactivité que de fiabilité. » Le manager se devra ainsi de rappeler des principes de bases, concernant l'organisation au quotidien des boîtes électroniques, qui semblent tellement « basiques » qu'ils en sont très souvent oubliés.

● Pour gagner du temps dans son planning

● Réserver des plages fixes dans son agenda pour la consultation et le traitement des e-mails ;

● Créer un carnet d'adresses électronique pour conserver toutes les adresses de ses correspondants. Cela permet un gain de temps appréciable. Il est également possible de créer des surnoms à partir des initiales du correspondant. Par exemple : Jean Dupond possède l'adresse « jean.dupond@masocieteamoi.fr », et peut se voir associer le surnom « jd ».

• Utiliser des listes de diffusion (listes de contacts, de membres d'un groupe de travail, d'un projet, etc.). Elles peuvent être pratiques, mais constituent néanmoins une source potentielle d'erreurs (adresses inadéquates) et ne doivent donc être employées qu'avec précaution dans un contexte de surcharge du volume des e-mails. L'utilisation des listes de diffusion sur abonnement permet de gérer les échanges centrés sur des communautés dédiées.

• Identifier les e-mails prioritaires et ceux qui ne le sont pas, en utilisant le « volet de lecture » du logiciel de messagerie, pour visualiser très rapidement le contenu. Dans le cas de multiples e-mails et échanges à partir d'un seul sujet, utiliser la visualisation par conversation et/ou thème pour condenser l'ensemble des échanges.

• Pour chaque e-mail consulté, on peut se donner une règle mnémotechnique qui est celle des 4 D : *do* (faire), *delete* (supprimer), *defer* (différer, marquer l'e-mail pour suivi), *delegate* (déléguer). Il est en outre recommandé de ne pas hésiter à indiquer à des correspondants de ne plus adresser certains e-mails si ces envois ne sont pas pertinents.

• Organiser des dossiers de classement (arborescence structurée) dans la messagerie en fonction des thèmes (dossier client, dossier fournisseur, etc.) et des priorités (traitement, recherche, etc.)

• Utiliser les règles de classement automatique pour traiter les e-mails. Par exemple, faire des répertoires avec les e-mails adressés en direct, en copie, venant du manager, etc.

• Définir des règles de conservation des e-mails. Par exemple, archivez tout ce qui a plus de trois mois ou identifiez ce qui a une valeur juridique pour le ranger dans un archivage à part.

• Signaler vos absences : il est très important que votre interlocuteur sache si vous êtes en mesure de lui répondre ou non, et donc d'indiquer correctement et précisément son propre statut d'absence, à fortiori si vous ne pouvez pas consulter vos e-mails durant cette période.

• Utiliser les règles de délégation si l'on partage une messagerie avec d'autres (au sein d'une équipe ou entre un manager et son assistante).

● Pour faire gagner du temps à ses destinataires

Avant d'envoyer un e-mail, demandez-vous toujours si, dans ce cas précis, c'est bien le moyen le plus efficace de communiquer, ou si un autre mode d'échanges ne serait pas préférable (téléphone, réunion, discussion en face-à-face). Si l'e-mail est bien le bon canal, alors voici quelques conseils de bonne pratique…

Un titre explicite

Le titre (« objet ») est-il indiqué clairement pour ressortir parmi les autres e-mails ? Va-t-il favoriser le repérage de l'e-mail dans une liste lorsque le contenu n'est pas dévoilé ? N'oublions pas que nos interlocuteurs reçoivent beaucoup d'e-mails chaque jour, il faut aussi donner envie que le nôtre soit lu. En exemple de bonne pratique, vous pouvez reprendre les mots-clés du contenu, comme l'objectif ou le contexte, sans mots négatifs : « préparation client Y », et non « problème à régler ».

Une signature enrichie

Vous venez de changer de poste, de métier, d'entreprise… Avant d'adresser votre premier e-mail, prenez le temps de paramétrer vos différents outils et de partir ainsi du bon pied. La signature d'un e-mail en dit long sur l'efficacité et la personnalité de son émetteur. Suivant votre poste et votre fonction, il peut être plus ou moins utile d'enrichir votre signature, mais, à minima, vous devez y faire figurer :

- votre nom,
- votre fonction,
- le nom de votre société,
- l'adresse de son site Web ou de sa page Facebook,
- numéro de téléphone,
- e-mail.

Vous pouvez y ajouter : votre numéro de fax, votre présence sur les réseaux sociaux (Linkedin, Viadeo, Twitter), une carte Google avec l'adresse de vos bureaux.

Des e-mails pas trop longs

Tout d'abord, il est vivement recommandé de ne traiter qu'un seul sujet par e-mail, et s'il y a deux sujets distincts, de rédiger deux e-mails séparés.

Pour un gain de temps, il est aussi possible d'indiquer des raccourcis, type « pour action », à condition d'expliquer à minima. Par exemple, si vous utilisez « FYI » (*for your information* = pour votre information), faites référence au sujet et/ou contexte.

Rappelez-vous également que nombre de personnes reçoivent parfois plus d'une centaine de courriels par jour et qu'elles ont de ce fait développé une forme de lecture rapide. Vous pouvez la faciliter en mettant en exergue les points importants, par toutes sortes d'artifices de mise en forme : surlignage, gras, espace, titres ou puces et numérotations sont autant de signes qui vont permettre à vos correspondants de se repérer et de traiter plus rapidement votre e-mail. Facilitez-leur la lecture, ils vous en seront reconnaissants et vous augmenterez l'efficacité de votre courriel.

Destinataire direct ou en copie ?

On oublie facilement la différence entre la personne à qui est adressé l'e-mail par rapport à celle qui figure en copie : la personne en « A » (*to*), « à l'attention de », est un destinataire qui sera responsable de la réponse à apporter, alors que les personnes en « Cc », les destinataires en copie, sont celles que l'on souhaite informer, sans leur demander pour autant quoi que ce soit. Il est important de respecter ces deux règles : chaque personne en copie doit l'être pour de bonnes raisons, et la liste de personnes mises en copie ne peut être qu'inférieure à celle des destinataires. Plutôt que de multiplier le nombre de destinataires en copie, ce qui oblige parfois à taire certaines informations, il est souvent plus judicieux d'envoyer des e-mails différents selon le niveau d'implication des personnes : un courriel pour ceux qui vont agir ; un pour ceux qui doivent donner un avis ; un pour information. Vous rédigerez alors trois e-mails différents, mais pleinement efficaces, pour chacun des trois cercles de personnes, au lieu d'un seul, qui, selon les destinataires, comprendra trop ou pas assez d'informations.

Les destinataires en copie cachée

L'envoi en « Cci », en copie cachée, ou copie carbone invisible (en anglais, « Bcc » pour *blind carbon copy*), est une facilité à utiliser avec soin et discernement. Elle permet de mettre une personne en copie sans que les autres destinataires n'en soient informés. Interrogez-vous sur l'intérêt de cette fonctionnalité, alors que l'un des mots-clefs actuels est désormais la transparence, et songez aux risques qu'elle vous fait courir, pour simplement éviter de faire un second e-mail ou de transférer le premier message à un second cercle de destinataires.

Il est conseillé de limiter la copie cachée aux trois types d'utilisation suivants.

• **Informer sans impliquer.** Pour un acte officiel ou des négociations, vous avez parfois intérêt à tenir une personne (votre conjoint, votre supérieur hiérarchique) au courant de l'avancée des démarches et lui confirmer que vous avez pris les choses en main. La copie cachée vous permet de l'informer sans l'impliquer. Ignorant tout de la copie, le destinataire principal des messages ne subit aucune pression, et l'échange reste cantonné aux correspondants initiaux.

FAQ sur les copies cachées (cci)

Question. *Pour un envoi groupé, j'ai placé tous les destinataires dans le champ « Cci ». Mais mon logiciel ou Webmail refuse d'envoyer le message parce que je n'ai pas précisé de destinataire dans le champ « À ». Que faire ?*

Réponse. *C'est tout simple : placez votre propre adresse e-mail dans le champ « À ». Vous ne dévoilerez ainsi aucune autre adresse.*

Question. *Existe-t-il une ruse pour faire apparaître le nom des personnes qui sont en copie cachée lorsque l'on reçoit un e-mail ?*

Réponse. *Non. Le champ « Cci » est vraiment un champ invisible. Il n'aurait aucune raison d'exister s'il n'était véritablement pas secret !*

• **Diffuser en toute confidentialité.** On l'a tous appris à nos dépens : lors d'un envoi groupé à des personnes qui ne sont pas censées se connaître, il est très fortement conseillé de placer la liste des destinataires dans le champ « Cci ». Cela permet de garder confidentielles des adresses e-mails que leurs propriétaires ne souhaitent pas forcément diffuser et empêcher qu'elles ne soient récupérées.

• **Témoigner votre soutien.** En entreprise, la copie cachée doit être utilisée avec une extrême parcimonie. Si vous êtes tenté de l'utiliser pour mettre en défaut un collègue ou un supérieur hiérarchique, abstenez-vous et réglez vos comptes d'une manière plus directe. Si en revanche, vous voulez montrer votre soutien à un membre de votre équipe, vous pouvez le mettre en copie cachée d'un message à votre supérieur hiérarchique. Il sera touché par votre marque de confiance.

• **Pour s'appliquer à soi-même
ce que l'on attend de son interlocuteur**
Transférer (« Forward »)

On ne re-transfère pas un e-mail sans expliquer notre objectif, ne serait-ce qu'en indiquant dans le titre de l'e-mail « pour action » ou « FYI » (*for your information*). En cas de transfert de longs e-mails, votre interlocuteur appréciera que vous fassiez une synthèse des premiers échanges, sous peine que votre envoi ne s'apparente à un « délestage ». Enfin, attention à la confidentialité des informations transmises de la sorte, il se peut que le bas de l'échange ne concerne pas les personnes à qui l'on transfère l'e-mail.

Répondre (« Answer »)

Il est recommandé de prendre en compte le délai de réponse (éviter l'e-mail urgent le vendredi soir, à 22 heures) et de répondre selon les règles de « bon usage d'entreprise ». Par exemple, le bon sens et la logique donnent un délai de 48 heures ouvrables pour les e-mails internes qui sollicitent personnellement et explicitement, et de 24 heures pour les e-mails provenant de l'extérieur. Il ne faut pas hésiter à mettre une assistante en copie s'il s'agit de quelque chose d'important, dont le suivi est impératif.

Si l'on ne dispose pas d'éléments d'informations pour répondre, il faut tout de même renvoyer un message, en indiquant que l'on ne dispose pas de l'information, mais qu'on la fournira à telle date, ou donner le nom et l'adresse d'une autre personne à contacter. Si vous n'êtes pas concerné par le message, ne faites pas le « mort », mais orientez vers la personne adéquate. Si vous vous trouvez en copie, cet e-mail ne vous est adressé que pour information, n'y répondez donc que dans le cas où vous pouvez apporter une véritable valeur ajoutée.

Répondre à tous (« Answer all »)

Sur cette fonction très spécifique, il est préférable tout d'abord de bien repositionner, selon vos souhaits et votre message, les personnes en destinataire et en copie. Si le courriel s'adresse à un nombre très conséquent de destinataires, mieux vaut envisager de diminuer leur nombre. Le titre de l'e-mail devrait être modifié dès lors que le sens et le contenu changent.

Dans le même ordre d'idées, il est préférable de ne pas abuser de cette fonction pour des messages insignifiants, type « merci », ou pour indiquer que l'on n'assistera pas à une réunion ; mieux vaut alors répondre juste à l'émetteur.

Si la personne à l'origine de l'e-mail n'avait pas eu le réflexe de faire plusieurs e-mails, un pour chaque catégorie de destinataires, vous pouvez vous en charger, en ne répondant qu'aux personnes qui auront un intérêt à lire votre message. Ce geste sera apprécié et, au passage, permettra de façon consciente ou inconsciente d'améliorer pour tous l'usage du courriel.

Dans ce contexte également, lorsque l'on est investi de la responsabilité de la réponse à un échange d'e-mails qui commence à être long, faire un résumé avant de poursuivre sera vivement apprécié de tous les destinataires. C'est aussi dans ce cas que le changement de titre peut être adéquat, en l'orientant vers les nouveaux contenus.

Les pièces jointes

Il est parfois nécessaire de joindre plusieurs fichiers à un e-mail mais, dans ce cas, respectez quelques règles simples. Cela évitera de faire perdre du temps à votre interlocuteur et de lui donner une image peu professionnelle, voire une impression de légèreté dans le traitement des tâches. Commencez votre e-mail par une formule d'introduction présentant les différents fichiers que vous avez joints : le réflexe habituel, quand nous recevons un message de ce type, étant d'ouvrir les fichiers à la volée !

Nommez donc bien les fichiers de sorte que le destinataire ait d'emblée une idée de leur contenu et de leur date de création. En respectant ces quelques points, vous permettrez à vos interlocuteurs de ne pas se sentir piégés à l'ouverture de votre e-mail.

L'e-mail dans la gestion des réunions

L'efficacité des réunions constitue un sujet clé de la performance collective, et la France est souvent décriée pour sa faculté à générer les « maux de la réunionite », par rapport à nos homologues européens ou même d'outre-Atlantique. Les Européens assistant à nos réunions les décrivent souvent comme peu anticipées en amont, trop nombreuses ou redondantes entre elles, trop longues en temps ou contenant trop de participants pour prendre des décisions claires.

Le contrôle de l'opportunité, de la pertinence et des règles de réunions relève de décisions de management, totalement indépendantes du recours aux outils. En revanche, ces outils peuvent procurer un instrument de planification, de mesure et de suivi efficace…

• **En termes de planification,** l'organisation des réunions est liée à l'e-mail, dans le sens où celui-ci constitue souvent le seul support utilisé (envoi des invitations, retour, re-planification éventuelle de la réunion, envoi de documents supports).

• **En termes d'agenda,** l'utilisation systématique et généralisée dans l'ensemble de l'entreprise du calendrier pour l'organisation des réunions permet :
- de rechercher directement des dates de disponibilités, sans avoir à échanger des e-mails dans cette phase préparatoire ;
- de mettre à jour automatiquement les calendriers des participants ;
- de collecter directement et de manière centralisée les réponses.

Le rattrapage possible (ou non) des « bourdes » par e-mail

Erreur de destinataire ou d'adresse e-mail, oubli d'un élément fondamental ou d'une pièce jointe, envoi d'informations confidentielles… des situations qui ne sont jamais facile à gérer et peuvent vous entraîner dans un conflit. Et ce d'autant plus que le « rappel d'e-mail » ne fonctionne que sur les intranets d'entreprise, et à la condition que votre destinataire ne l'ait pas encore lu. Voici quelques exemples non exhaustifs de « bourdes » potentielles…

- **« Je réponds à tous et non au seul expéditeur »**

La situation : vous répondez à tous les destinataires d'un e-mail, alors même que votre message n'est destiné qu'à une seule personne. Une manipulation malencontreuse qui est arrivée, par exemple, à un directeur des ventes, qui avait répondu à son directeur support, en critiquant un client… qui était en copie.

La solution : faut-il alors rattraper le coup ou laisser courir ? Il est parfois préférable de ne rien faire et de laisser passer une étourderie à laquelle personne n'a prêté attention. Cela n'est valable qu'à la condition que personne n'y fasse allusion, bien sûr.

Conseil : éviter de manière générale les « répondre à tous » et, surtout, toujours se donner le temps de la réflexion pour les e-mails qui le méritent.

- **« J'envoie des chiffres confidentiels à un client »**

La situation : vous envoyez par erreur des résultats confidentiels concernant l'ensemble des filiales à l'une d'entre elles. Une maladresse qui peut aussi concerner un client ou tout prestataire externe.

La solution : il est parfois possible d'envoyer un autre e-mail demandant de ne pas tenir compte du fichier joint dans le premier courriel, avec accusé de réception, ou non, vous permettant de savoir si les destinataires l'ont ouvert.

Comment l'éviter : même sous pression et/ou stress, certaines données méritent beaucoup plus de précautions que d'autres, et les « prioriser » de façon méthodique aide à rester vigilant, en vérifiant toujours la pièce jointe avant d'envoyer l'e-mail.

• « Je fais une faute de frappe dans le corps de l'e-mail »

La situation : une erreur de frappe qui se glisse dans le corps d'un e-mail peut être sans aucune importante, mais peut parfois aussi changer radicalement le sens s'il s'agit d'un lapsus. Un de ces petits risques auxquels vous êtes quotidiennement confronté.

La solution : si l'erreur revêt une importance forte, il est préférable de renvoyer un e-mail dont le titre sera « annule et remplace », lequel attirera rapidement l'attention des destinataires, plutôt que de pratiquer la politique de l'autruche !

Comment l'éviter : il est possible, si l'on ne se sent pas sûr de son orthographe, de pratiquer une relecture attentive, couplée à un passage sous Word et son correcteur orthographique. Mais il n'existe pas vraiment de recette magique...

- « J'envoie un e-mail à la personne dont je parle »

La situation : notre cerveau peut nous jouer ce tour, d'autant plus en période de fatigue ou lorsqu'on est pris par plusieurs tâches à la fois.

La solution : dans ces cas-là, et si la « bourde » est vraiment lourde, la seule solution reste l'authenticité : reconnaître ses torts, s'excuser d'un comportement peu professionnel et promettre que cela ne se reproduira plus.

Comment l'éviter : se cantonner à des e-mails très professionnels n'évoquant ni les humeurs des uns ou des autres ni nos propres émotions.

L'avis d'un dirigeant sur la gestion de l'e-mail

Interview d'un CEO au sein d'un laboratoire pharmaceutique international

Vous êtes le dirigeant d'un laboratoire pharmaceutique international, regroupant plus de 100 000 employés dans plus de 100 pays dans le monde, avec des métiers très diversifiés, allant de la recherche & développement, la production, le juridique et réglementaire, la « compliance », à la formation, le marketing, la promotion, etc. Merci d'avoir accepté de partager avec nous votre vision interculturelle de la gestion de l'e-mail au sein de votre entreprise.

✔ Votre laboratoire bénéficie d'une excellente image en termes de *rating* social, mesuré à travers un questionnaire et analyse des réponses par audit externe. En 2011, ce questionnaire, destiné à tout le corps social de votre entreprise, a obtenu entre 60 % et 70 % de réponses favorables, ce qui définit une entreprise dotée d'une réelle propension à la gestion du potentiel humain. Est-ce que la gestion des e-mails est un point de focus en termes de stratégie des ressources humaines ou ce point est-il géré de façon « classique » par chaque pays ?

Votre question concerne une réflexion que nous avons débutée dès 2009, et que nous continuons actuellement en focus, sous forme de groupes de travail organisés depuis quelques mois déjà, chaque groupe de travail réunissant l'ensemble des différents métiers et non pas seulement les métiers « sensibles » à la prolifération des e-mails. Les premières réunions auront lieu à partir de 2013 dans tous nos centres de recherche, nos filiales de commercialisation et usines de production internationales, dont la France, bien sûr. Nous avons préféré prendre le temps de structurer parfaitement le process pour qu'il soit efficient dès la première réunion.

Maintenant, je vais vous dire comment je perçois le sujet, de manière d'abord globale jusqu'au particulier, si vous le voulez bien.

La note de rating social que vous évoquiez est une cotation de marque employeur, parfait ; à celle-ci, nous ajoutons également chaque année un questionnaire de satisfaction, rempli par chaque, et je dis bien « chaque employé », soit plus de cent mille, et donc surtout lu et analysé « pour chaque employé ». Nos équipes savent que ce questionnaire est d'un anonymat prouvé, et qu'il sera pris en grande considération. Vous comprenez donc qu'effectivement, chaque retour nous importe, en particulier s'il concerne un risque tant sur la qualité que la quantité du travail de chacun.

Dès 2009, nous avons eu des demandes de « règles du jeu entreprise » sur le point de la gestion des e-mails, et avons mené une réflexion dans le monde entier. Les premières actions se sont portées sur les évaluations biannuelles de tous les employés, c'est-à-dire que :

- chaque hiérarchie en charge d'évaluer a été formée à la manière d'investiguer ses équipes sur ce thème (pour éviter la subjectivité, l'influence, voire la manipulation) ;

- chaque évaluation annuelle comportait un item sur la manière dont les e-mails étaient gérés par l'employé, et ses besoins en la matière.

Ce process nous a pris du temps, mais il nous a surtout permis de recueillir des informations précises, donc précieuses, sur l'ensemble des pratiques pouvant être au mieux améliorées, au pire limitées sur un cycle de temps ponctuel. Nous avons ensuite en 2010 procédé à un audit des réponses, une analyse des besoins et des solutions à envisager.

✔ **Au niveau des pratiques interculturelles courantes, avez-vous détecté des différences très significatives sur la façon d'utiliser la communication par e-mail selon les pays ?**

Je vous répondrais que si nous en avions de très significatives, cela voudrait d'abord signifier que notre compagnie n'a pas de culture identitaire, ni de process s'y rapportant.

Ce vous évoquez se porte plutôt sur une façon de fonctionner, due probablement (mais je ne m'autorise pas à l'affirmer) justement à une façon d'appréhender un e-mail, un fait, une information, un évènement. Chacun va y réagir différemment déjà au sein d'un même pays, mais on observe des tendances fortes, notamment entre les États-Unis et la France. Vous remarquerez que je parle de la France, et non de l'Europe, parce qu'à l'intérieur de l'Europe, là aussi, vous aurez des tendances fortes entre les Latins et les autres. Et justement, la communication par e-mail peut révéler le pays qui l'émet par la forme avant tout, et par la façon de vouloir (ou non) trouver une solution. Je m'explique et vais malheureusement un peu caricaturer pour synthétiser. Sur un même sujet, complexe ou non, voici ce que l'on peut observer :

- l'Américain aura tendance à vous répondre rapidement, de façon synthétique avec peu de mots (donc peu de formules de politesse), et évoquera tous les côtés positifs pour trouver une solution, envisager un process possible ; il verra ce que l'on appelle « un verre à moitié plein ». Ces e-mails et leur « positivisme » peuvent sembler parfois naïfs tant ils se veulent motivants ; ils sont, je pense, simplement le reflet d'un état d'esprit.

- le Français fera probablement déjà un e-mail plus long (tenant compte des formules de politesse souvent) avec plusieurs parties et sous-parties structurées pour démontrer le plus souvent… qu'étant donné tous les faits qu'il aura pris la peine d'écrire, il lui semble très difficile ou complexe de… trouver une solution ! On peut le voir comme une capacité à l'esprit critique, si l'on veut… mais ce type d'e-mails vraiment franco-français peut aussi irriter, par sa longueur, et par le fait qu'il véhicule du négatif en interne.

Ces deux caricatures ne sont pas que des traits d'humour, je vous assure qu'elles correspondent à des faits réels.

Au niveau de l'Asie, ou de la Chine, les e-mails ne semblent pas à ce jour montrer de tendances fortes, mais une adaptation aux process de l'entreprise en global, et ce d'autant plus

*que lorsque vous écrivez dans une langue « internationale »
(l'anglais), vous vous éloignez des réflexes d'utilisation de
votre langue natale.*

✔ **Pouvez-vous nous parler des informations sur les problèmes rencontrés à cause de flux d'e-mails trop importants ?**

*Je ne peux vous en parler en détail, puisque tous les question-
naires de satisfaction sont anonymes, mais nous retrouvons
systématiquement dans tous les pays les mêmes problèmes
par métiers : ceux particulièrement sujets à la réception d'e-
mails, mais aussi les catégories de populations et métiers
qui n'ont pas eu l'habitude de prioriser par exemple, le plus
souvent parce qu'ils n'exercent pas un métier où cette compétence est demandée. Ils se trouvent donc un peu perdus
parmi tous leurs e-mails, même en sachant classer ou archi-
ver ; il me semble que leur souci est vraiment de prioriser et
d'anticiper les réponses à adresser à terme.*

*Ces enquêtes de satisfaction nous ont aussi beaucoup
éclairés sur des process internes mal appliqués, par exemple
sur l'intégration de nouveaux collaborateurs, où l'on a
constaté que la formation a été plus que rudimentaire, et ils
s'en trouvent gênés lorsque par exemple ils doivent répondre*

avec un graphique, voire même sur un slide de PowerPoint. Eh bien voilà : si vous ne formez pas les personnes, qu'elles soient ou non d'une génération digitale, il ne faut pas s'étonner d'avoir des dysfonctionnements.

✔ **D'après les informations que vos services ont pu collecter, y a-t-il des métiers plus sensibles que d'autres ? Si oui, avez-vous mené jusqu'à présent une action particulière pour ces métiers-là ?**

Je pense que nous n'en sommes encore qu'au rudiment de cette action, malheureusement. Je ne sais pas dans le détail comment ont été classifiés les métiers les plus « à risque », mais ce qui semble logique est que tout métier porté vers l'international me semble plus exposé, ne serait-ce déjà que par le décalage horaire. Nos homologues chinois ou américains savent bien que lorsqu'ils travaillent, nous sommes censés dormir, mais il n'empêche que vous vous levez déjà avec un retard considérable sur la gestion de vos e-mails, je parle en connaissance de cause, et vous savez aussi que cela va continuer toute la journée.

Sur une entreprise de plus de 100 000 personnes, nous ne pouvons pas nous autoriser à imposer des règles drastiques, *parce que certains évènement majeurs, ou une situation de crise comme nous en connaissons dans les industries de santé, malheureusement, ne peuvent faire partie d'un cadre strict. Ou alors, il faudrait cadrer tout ce qui sort du cadre, belle catastrophe !*

À ce jour, pour les métiers particulièrement concernés, et j'assume le fait que ce ne soit pas la panacée, nous avons mis un système de double réception des e-mails par des adjoints ou des assistantes (avec un process de confidentialité éprouvé, bien sûr), tout dépend du poste et de ses responsabilités. Chacun gère la partie/le thème de l'e-mail pour lequel il a été missionné. Nous savons que cette solution n'est pas suffisante et continuons les groupes de travail sur ce sujet précis.

✔ **Quelles sont les actions que vous avez pu déjà envisager pour aider vos employés sur ce sujet en global, et celles que vous anticipez ?**

Comme indiqué tout à l'heure, la première action a été envisagée à partir de 2010 et concernait la formation des managers en charge des évaluations biannuelles, pour les inciter à rechercher une information la plus objective possible de leurs équipes sur cette question de la gestion quotidienne des e-mails. Nous savons tous qu'il n'est pas facile d'exprimer que nous ne savons pas faire telle ou telle chose, et il fallait « faire venir » l'information sans la crainte d'une mauvaise cotation. Je dirais que cet objectif a été atteint à 70 %, étant donné la fiabilité, la pertinence et le recoupement des réponses obtenues.

L'audit a permis de croiser les réponses par pays et métiers par rapport à la redondance des réponses, ce qui nous a permis en 2010 de proposer un véritable plan de formation Internet, donc de l'e-mail également. L'enquête de satisfaction de 2011 n'a pas encore permis d'en voir les améliorations vraiment significatives, mais juste quelques touches de « mieux être avec l'e-mail », car les plans de formation ont dû, pour des raisons budgétaires, être étalés dans le temps.

J'ajoute donc ici de ne pas oublier que si la gestion des e-mails devait représenter une rentabilité, elle l'a certainement fait au départ, mais de mon côté de dirigeant, aujourd'hui, j'ai davantage un ressenti de coût sans y adjoindre de retour sur investissement systématique.

✔ Que pensez-vous de la création d'une « charte des bonnes pratiques » au sein d'une entreprise comme la vôtre ?

Ah, les histoires de « chartes », ça me fait toujours sourire… Plus sérieusement, il me semble que l'intérêt d'une charte, quel que soit le domaine, est conditionné par la dimension d'une entreprise. À plus de 100 000 employés, je crois fortement aux valeurs qui fédèrent, à la culture d'entreprise forte, aux leaders qui doivent faire un peu rêver, et en particulier dans les moments difficiles, mais je ne crois pas qu'une « charte des bonnes pratiques » soit applicable, encore moins appliquée si vous la lancez. Les gens vous feront de beaux sourires, mais ne la liront même pas.

Cela me fait penser à donner une solution qui ne correspond pas au problème posé. L'e-mail est avant tout individuel avant d'être collectif, et le lien qu'une personne entretient avec sa messagerie ne peut être géré par une charte, à mon avis.

✔ Vous avez probablement entendu parler des différences générationnelles, telles que la génération Y (née entre 1978 et 1994) par rapport à la génération X (née entre 1965 et 1977). Pensez-vous que ces différences générationnelles auront une incidence sur la gestion des e-mails ?

Oui, je m'attache assez peu aux « modes », elles ne font que passer, comme nous tous en entreprise d'ailleurs… donc je ne parlerai pas vraiment de génération Y, elle peut s'appeler comme elle veut, mais ce qui m'intéresse est d'abord le « pourquoi » y a-t-il cette espèce de « cassure » entre les générations. Car c'est de cela qu'il s'agit, vous avez tous raison sur le fait qu'on a l'impression d'opposer deux courants de pensée, de façons de vivre, de fonctionner… oui, c'est vrai. J'ai seulement deux « jeunes générations » dans mon comité de direction et, déjà, ils créent une nette « fracture ». Au-delà du fait que ça m'amuse, je pense que cela stimule un groupe vers l'acceptation de la différence, ce qui peut être un vrai puits de rentabilité ; c'est de l'émulation parfois assez violente, et c'est bien !

Nous n'avons pas ressorti dans les statistiques des enquêtes de satisfaction de différences intergénérationnelles, tout simplement parce que nous ne parlons pas d'âge, tout au plus de séniorité dans un métier.

Alors par rapport aux e-mails, ce que je peux vous dire logiquement, c'est que si les jeunes générations créent parfois une révolution sur un ensemble de sujets à forts enjeux, forcément, cela devrait se répercuter au niveau de la façon de gérer ses e-mails. Mais dans ce cas, il ne faut pas s'arrêter au constat, et savoir se servir de leur richesse à bon escient. On pourrait proposer, par exemple, des formations réalisées par les jeunes générations pour les autres employés, en cadrant lesdites formations bien sûr, et en récompensant ces jeunes autrement que par l'argent, car je me suis laissé dire que cela ne les intéresse pas ? Non, je plaisante bien sûr, mais vous me faites penser à proposer cette idée, cela peut non seulement promouvoir ces jeunes générations dans l'entreprise, mais également nous faciliter les process des formations informatiques qui sont aujourd'hui externalisés. Merci pour l'idée !

✔ **Parlons de vous face à vos e-mails, maintenant ?**

Avec plaisir, mais si je parviens à les régler en majorité (pas toujours, j'avoue), c'est grâce à des assistantes hors pair et extrêmement rigoureuses dans leurs reportings.

Nous faisons un point régulier à heures constantes des urgences à gérer, des dossiers à travailler et anticiper, des évènements « autres », que l'on peut parfois oublier au profit de la gestion des e-mails. Si je décidais demain que la gestion de mes e-mails était une fin en soi, nous serions tous aussi très occupés dans la journée. Mais je m'efforce heureusement d'en lever la tête pour vivre en dehors du digital ! À ce propos, j'ai horreur de lire les journaux sur le Web, donc je fais comme au bon vieux temps et les lis sur la presse papier.

Vous voyez, je trouve que l'on en fait trop avec les e-mails : ce ne sont que des outils pour communiquer, et demain on aura autre chose. À ce propos, j'ai de plus en plus d'interlocuteurs qui s'adressent à moi par SMS, pour ceux que je connais bien, et maintenant aussi, j'ai remarqué, même d'autres… pourquoi pas si cela fait gagner du temps mais reste quand même la traçabilité pour ce mode de communication.

✔ **Qu'auriez-vous envie de dire pour cette interview en conclusion ?**

Qu'elle est agréable pour trois raisons :
- la première, c'est qu'elle m'amuse, tout en ne me donnant pas l'impression de perdre mon temps ;
- la deuxième, c'est qu'elle m'a donné des idées, et je sais que je vais continuer à donner des idées d'orientations à mon département RH ;
- la troisième, c'est que je trouve ça pas mal d'informer librement d'un problème dont on parle encore assez peu à mon

avis, à la seule condition que l'on soit utile aux lecteurs, et j'espère ne pas les avoir ennuyés !

En conclusion, si je me permettais de vous passer quelques messages, il ne faut pas demander à l'e-mail plus que ce à quoi il est destiné, un e-mail n'est jamais une solution, ça restera un moyen comme un autre. Ce n'est pas parce que l'on a répondu à un e-mail qu'on a réglé un problème, mais c'est parce que l'on a communiqué une solution. Reste à en vérifier son application, et l'e-mail n'est plus suffisant alors.

Il faut rassurer les personnes qui s'angoissent avec leurs multitudes d'e-mails : aujourd'hui, on a cet outil, et, demain, on en aura un autre qui, j'espère, nous permettra encore de gagner plus de temps… donc de rester compétitifs !

Temps libre
et temps numérique

E-mail et télétravail

Le travail en situation de mobilité est dépendant de la qualité des connexions Internet, et tant du paramétrage que de l'efficacité des technologies utilisées. À l'étranger s'ajoute la question du décalage horaire. Vos correspondants s'attendent non seulement à ce que vous receviez leurs messages aux heures ouvrées de travail, mais aussi à ce que vous y répondiez dans les mêmes délais que ceux habituellement respectés par vous et l'entreprise. L'e-mail et le téléphone (ou les outils de visioconférence) demeurent les moyens les plus efficaces pour maintenir le lien entre le télétravailleur, ses collègues et l'entreprise.

Il est donc essentiel que les outils soient mis au service de communications distantes, mais productives. Des smartphones connectés au wifi deviennent d'excellents instruments dans cet objectif et offrent l'avantage, qui est également un inconvénient majeur, il faut le reconnaître, de livrer en temps réel vos messages (où que vous soyez et quoi que vous fassiez). Vous pouvez ainsi opter pour un paramétrage spécifique des messageries reçues selon chaque appareil (par exemple : e-mails professionnels sur le BlackBerry et e-mails personnels sur l'iPhone).

Autre avantage, qui est lui aussi également un inconvénient : avec un smartphone paramétré de la sorte, vous recevez vos mails professionnels en double. Conséquences : la lecture s'effectue dans un premier temps sur l'appareil mobile, et le nombre de messages à traiter semble décuplé. Dans cette circonstance, il peut être utile de définir des règles de gestion et d'archivage propres à chacun des appareils (fixes et mobiles).

Se donner des limites horaires

Il suffit d'omettre une fois de placer son iPhone ou BlackBerry en mode avion au moment de se coucher, et d'être réveillé par les vibrations ou alertes sonores, pour instaurer ensuite un rituel quotidien : neutraliser les nuisances sonores et visuelles de l'objet qui, à défaut, pourrait vous empêcher de dormir. Il existe aussi la fonction « ne pas déranger » sur l'iPhone, qui vous permettra de vous trouver en réunion, au théâtre, au cinéma ou entre amis, par exemple, sans risquer d'être dérangé par les notifications sonores de votre appareil.

En heures ouvrées, il est recommandé d'exploiter ces fonctionnalités lorsque vous réalisez des travaux qui requièrent calme et concentration.

D'une manière générale, il est indiqué d'éteindre vos appareils lorsque vous commencez à ressentir les effets de la surdose d'informations ou de sollicitations. En vous astreignant à respecter une plage horaire de repos de 8 heures minimum par 24 heures, vous préserverez votre santé.

Cinq conseils pour se préserver

1. Apprenez à vous connaître. Si vous connaissez bien votre degré de résistance au stress, vous serez davantage à même de vous en préserver. Sentir ses limites est utile pour mieux s'organiser, professionnellement et personnellement. Pour pallier l'apparition de l'anxiété, la survenance de l'angoisse et de la dépression, voire le *burnout*, il est essentiel que vous parveniez à savoir quel est votre seuil de tolérance au stress et, en particulier, quels sont les effets des e-mails sur ce stress.

Le traitement du stress implique nécessairement :

- d'une part, l'identification de la cause du trouble ;

- d'autre part, son élimination ou, à défaut, la mise en œuvre de techniques permettant de mieux réagir face aux évènements stressants et d'augmenter sa résistance aux tensions (relaxation, sport, sommeil, mise à l'écart du stimulus stressant, etc.).

Il peut être utile dans ce cas de trouver les réponses aux questions suivantes…

- Combien d'e-mails suis-je capable de recevoir, lire, traiter au cours d'une journée sans répercussion néfaste sur ma santé et mes compétences ?

- Quels sont les types de messages écrits qui suscitent en moi des émotions négatives et pourquoi ?

- Quels sont, chez moi, les effets physiologiques et psychologiques induits par certains contenus ou par un nombre trop conséquent de messages reçus et émis chaque jour ?

- Suis-je actuellement ou de manière générale plus sujet/te qu'un/e autre ?

- Quels sont mes référents pour m'auto-évaluer (parmi mes pairs, ma famille, mes amis, mes modèles) ?

- Quelles sont les situations dans lesquelles je me sens plus fragile et moins apte à faire face au stress ?

Une fois trouvé votre seuil de tolérance, vous serez en mesure de vous organiser pour mieux vous protéger des effets potentiellement nuisibles induits par le courriel. Vous éviterez plus facilement votre exposition aux évènements anxiogènes et/ou prendrez les mesures nécessaires pour favoriser votre accommodation aux stimuli stressants. Vous limiterez l'apparition des manifestations mentales et/ou organiques indésirables.

2. Organisez-vous avant vos congés et déléguez ce qui peut l'être. Paramétrez votre messagerie pour qu'elle envoie un e-mail automatique à vos émetteurs, les informant que vous êtes en vacances, avec un accès limité à votre messagerie.

3. Diversifiez vos activités, délimitez des plages horaires spécifiques à chacune, astreignez-vous à les respecter et pratiquez, si possible, une activité sportive. Il est admis que l'activité physique protégerait en quelque sorte des effets du stress, par une influence physique et morale bénéfique.

4. Efforcez-vous de vous rendre moins disponible à certaines heures de la journée, certains jours de la semaine et aussi certaines périodes de l'année.

5. Apprenez à déculpabiliser lorsque votre messagerie se remplit et que vous ne traitez pas sur le champ les e-mails en attente.

E-mails en week-end et en vacances

Le week-end et durant vos vacances, il est recommandé de ne pas consulter ses messages avec la même fréquence qu'aux jours et aux heures habituelles de travail.

Tout au long de l'année, vous avez peut-être observé ce qui suit…
- Du lundi au vendredi, de 9 heures à 12 heures et de 14 heures à 17 heures : période d'activité normale, au cours de laquelle la fréquence des messages entrants et sortants est la plus forte.
- Le week-end, diminution de 40 à 60 % environ des sollicitations par e-mail, par rapport à la période normale.
- Durant les vacances scolaires, baisse de 30 à 40 % environ des sollicitations par e-mail par rapport à la période normale.
- Du 8 au 15 août, c'est la période la plus calme de l'année, avec une diminution de 70 à 85 % environ des sollicitations par e-mail, par rapport à la période normale.

En conséquence, pour profiter pleinement de vos périodes de repos, il suffit de placer vos plages horaires de connexion en dehors des périodes d'activité normale !

• Quand on n'arrive pas à s'arrêter…

La semaine a été intense, et le week-end ou, mieux encore, les vacances arrivent pour « décrocher » un peu et se ressourcer auprès de ses amis ou de sa famille. Ils ne connaissent pas encore votre dernière lubie, mais vont vite la découvrir à leurs dépens : vous avez adopté la nouvelle formule *connected illimited*. À table, devant la télé et même, ou bien sûr, dans la salle de bains ou les toilettes, tablette, smartphone ou Pocket PC ne vous quitte plus. Votre phrase favorite est devenue : « Je réponds en vitesse au boulot, car, là, c'est urgent ! »

Perçus par leurs détenteurs comme des objets de pouvoir, celui d'être en première ligne et jamais en retard sur les échanges d'e-mails, ces appareils sont souvent perçus tout autrement par l'entourage, qui y voit une cause d'isolement. La dépendance à ces outils est parfois telle que pointe le risque de devenir « mailalcoolic » : on ressent du manque dès que l'on quitte sa messagerie plus d'une demi-heure, et si rien de nouveau n'apparaît, on commence à douter de la fiabilité de son appareil et, pour plus de sûreté, on va alors vérifier sur un autre…

En vacances, vous faites un effort, on vous l'a demandé et même, parfois, ordonné. Alors, pendant quelques jours, vous vous forcez à oublier votre laisse numérique, ou celle-ci s'est rompue, car vous êtes dans un des rares endroits non connectés. Vous commencez même à apprécier le changement, et puis, un après-midi, juste parce qu'une connexion est possible, vous ne résistez plus à l'envie de jeter un rapide coup d'œil. Horreur, vos e-mails se sont multipliés, et le caractère d'urgence de certains intitulés interpelle votre professionnalisme. Vacances ou pas, vous ne pouvez vous empêcher de répondre brièvement. Le piège s'est refermé ! Un e-mail en entraîne un autre, et comme vos interlocuteurs croient que vous êtes revenu, voilà que la cadence s'accélère… et l'après-midi passe aussi vite qu'un rayon de soleil en Normandie.

Vous avez d'une part mis fin à vos vacances, mais surtout, si vous êtes manager, vous donnez à vos équipes le message suivant : à un certain niveau, la connexion avec le travail ne doit jamais s'interrompre ! Vous êtes à la fois victime et persécuteur, de manière inconsciente, mais pas sans dégâts à moyen et long terme. On ne joue pas impunément avec les frontières du personnel et du professionnel sur de longues périodes, sans en payer le prix en fatigue, surmenage, manque de lucidité, énervement, sentiment de toute-puissance…

Le temps numérique reste encore un temps mal défini, mais les juges commencent à s'y intéresser avec de plus en plus d'attention, car le lien entre risques psychosociaux et envahissement du courriel sur les temps de repos, sans parler du calcul de temps supplémentaire consacré au travail, devient de plus en plus évident.

De l'e-mail sur smartphone
aux outils alternatifs

La question aujourd'hui est de ne pas subir « l'infobésité » générée par ces nouveaux supports, mais d'en tirer parti.

Connectés en permanence

Selon l'Institut de l'audiovisuel et des télécoms en Europe (Idate), qui a interrogé, entre janvier et février 2012, 3 000 salariés en France, en Allemagne et au Royaume-Uni), plus de 18 % des salariés interrogés utilisent aujourd'hui leur smartphone personnel pour travailler (source : @01net http://ow.ly/eQe0P). L'e-mail, cantonné auparavant aux PC, a envahi les smartphones, dont bien sûr les BlackBerry des cadres supérieurs, et est devenu l'une des applications les plus utilisées, avec la messagerie instantanée… mais bien après la météo ou les jeux ! Le temps de déconnexion, qui était auparavant possible pour une majorité de salariés, hormis les irréductibles avec leur PC ouvert sur les genoux, est « cannibalisé » par de nouveaux usages, consistant à consulter ses e-mails partout et tout le temps.

Cette possibilité intéressante devient inquiétante par les comportements qu'elle suscite : une tyrannie « mailique » qui oblige à regarder de façon continue sa/ses boîtes électroniques ou à entendre les notifications sonores alertant de l'arrivée d'un nouvel e-mail. Cette commodité est devenue un réflexe pavlovien, qui enferme chacun dans sa bulle et prive des sas de décompression nécessaires. La fatigue de la journée se poursuit avec des écrans non prévus pour la lecture de textes longs, avec des affichages non optimisés qui amènent à jouer des différents curseurs, tandis que l'application des bonnes règles d'écriture des courriels devient une gageure sur un smartphone.

D'autres canals que l'e-mail

On peut adopter, selon les horaires, les interlocuteurs et les objectifs, un autre canal que l'e-mail. On peut substituer un appel, un *chat*, un BBM, un SMS… à un e-mail lorsque cela se justifie, pour gagner en rapidité et efficacité. Le smartphone est un formidable couteau suisse numérique, mais il ne faut pas voir des pommes à couper partout !

Réservons donc la lecture des e-mails à des situations particulières :

- attente d'un e-mail urgent, qui demande une réponse, alors que nous sommes en déplacement ;
- éloignement d'un poste fixe pendant la journée de travail durant plusieurs heures.

Profitez du temps de transport pour lire un bon livre ou écouter de la musique, afin de prendre cette respiration nécessaire, tant pour recharger vos batteries cognitives, que pour avoir un recul bénéfique face à certains problèmes et éviter des réponses compulsives.

Un point non négligeable concerne en outre la sécurité des smartphones et les risques, en cas de perte, sur la confidentialité de ses données comme de celle d'usurpation d'identité.

• Des e-mails en forme de chat ou SMS

Nous sommes parfois un peu trop contraints par le style de nos e-mails. Combien de temps passé à vérifier les tournures, la syntaxe comme si nous écrivions un mémoire. La règle devrait être celle du KISS (*keep it simple stupid*). Certains e-mails ne demandent pas une réponse de plusieurs lignes, et vous pouvez recourir à des abréviations ou des acronymes si vous avez pris la peine de les définir la première fois ! On passe souvent en mode anglo-saxon, mais les IMHO, BTW, TKR FYI, ASAP, ne sont pas compréhensibles par tous, et leur multiplication est vite agaçante. Le courriel devient alors SMS, pour sa clarté, facilité et rapidité.

Là encore, ces pratiques sont à utiliser avec parcimonie, et le jeu n'est pas de truffer chacun de vos e-mails de deux ou trois de ces abréviations fétiches, et de ne répondre que de cette façon. L'une des règles de bon usage des courriels est d'éviter les e-mails « ping-pong », et de passer par le téléphone ou la messagerie instantanée au bout de quelques courts échanges, mais le contexte aidant, cette règle peut souffrir certaines exceptions, et la solution préconisée plus haut permettre, sans changer de mode de communication, de rapidement se mettre d'accord.

Troisième partie

Débranchez !

Faire
comme nos parents ?

Pendant les croisades, les Turcs et les Arabes maîtrisaient déjà le dressage des pigeons voyageurs pour acheminer de façon fiable les messages importants ou stratégiques. Ne vous est-il jamais arrivé d'entendre quelqu'un débordé par sa messagerie vous répondre : « Oui, vous m'avez sans doute bien envoyé un e-mail, et je l'ai certainement reçu, mais non, je ne suis pas certain/e de l'avoir vu arriver ni de l'avoir lu. La prochaine fois, envoyez-moi plutôt un message par l'intermédiaire d'un pigeon voyageur, ce sera plus efficace ! » ?

La génération de nos parents n'utilisait pas l'e-mail pour travailler. Face aux effets négatifs de ce média sur notre organisation au travail, certains semblent, plus ou moins consciemment, souhaiter un retour au passé, pour expérimenter des voies certes jugées démodées, mais potentiellement salvatrices, ou encore faire un grand bond vers le futur pour découvrir ce qui nous aura affranchi de l'e-mail et les outils qui auront eu raison de lui. Il n'est pas une semaine sur le Web où vous ne lirez tantôt un article annonçant la mort de l'e-mail, tantôt un article niant sa fin et prédisant même sa survie pour encore de nombreuses années. Qui croire, que penser ?

Selon **Valérie Andrade**, « le remplacement de l'e-mail risque de prendre plusieurs années. Dans l'ère de la communication création, parfaitement décrite dans l'ouvrage de Wilfrid Raffard, Michel Saloff Coste et Carine Dartiguepeyrou, *Le Dirigeant du 3ᵉ millénaire*, nous constatons que nous sommes passés de la société industrielle à la société de l'information. L'information circule, de mieux en mieux, de plus en plus vite. Plus les messages sont répétés, plus ils sont intégrés, absorbés et, lorsqu'ils prennent sens, ils constituent une nouvelle culture, celle de l'intelligence collective.

« Quand on s'y penche d'un peu plus près, ce n'est pas un outil qui devrait remplacer ou compléter l'e-mail, mais bien une multitude d'outils. La plupart sont déjà disponibles autour de nous. Certaines créations sont d'ailleurs très innovantes et devraient s'imposer naturellement avec le temps. »

Une entreprise sans e-mail ?
Non mais… sérieusement

Certaines entreprises ont commencé à instaurer (en 2011 pour les premières) en leur sein la journée sans e-mail, habituellement le vendredi. Chez Canon France, les salariés sont incités à respecter une journée sans courriel par trimestre, pour favoriser les échanges physiques par rapport aux échanges numériques. Il s'agit d'une journée de « vacances du courrier électronique ». Ce type d'initiatives se multiplient au sein des entreprises, et ce dans un monde numérique qui compte plus de 3 milliards d'adresses e-mails, presque 1 milliard de comptes Facebook et des millions de comptes Twitter…

Selon **Dominique Wolton**, directeur de l'Institut des sciences de la communication du CNRS, « l'information est devenue une tyrannie : il y en a trop, accessible trop rapidement ».

Atos Origin abandonne l'e-mail

Thierry Breton, le P-DG d'Atos Origin a déclaré pour sa part, le 8 février 2011, que l'e-mail interne serait abandonné dans un délai de trois ans, au profit de la messagerie instantanée, du réseau social et des outils coopératifs. L'abandon de l'e-mail est prôné dans la mesure où ce dernier n'est plus considéré comme un outil approprié. (Sources : http://is.gd/lAb-GOz - http://is.gd/0HBIF3)

Ce qui est intéressant c'est que la décision est prise comme on prendrait celle d'évacuer un immeuble en flammes, une décision d'urgence devant la catastrophe qui s'annonce. Le saut dans le vide permet de constater dans les premiers jours que l'entreprise ne s'écroule pas tout de suite et se porte même mieux de cette diète « mailique » ; elle montre ensuite ce que masque notre usage forcené de l'e-mail. Le courriel est trop souvent utilisé inconsciemment pour avoir le sentiment d'être hyper productif, par le flux constant d'activités qu'il offre. Cela cache une difficulté à se concentrer sur des dossiers et à leur accorder du temps, sans interruption ni gestion en mode multitâches. Rédiger une note de synthèse ou une proposition argumentée est bien moins stimulant que de répondre à la volée à des e-mails sur ces sujets, mais certainement plus efficace. (Source : http://is.gd/jo5M6s)

• Quelques pistes de réflexion

Bien au-delà de l'outil, il y a une réflexion sur les modes de travail, de collaboration et de communication dans l'entreprise à entreprendre.

Selon **Valérie Andrade**, « il est hors de question de devenir "infobèse" et, pour travailler sur un sujet qui requiert du fond et de la réflexion, il est indispensable de se réserver des plages de déconnexion ». En revanche, si la journée sans e-mail est une initiative intéressante, elle n'est pas, de son point de vue, suffisante. Elle est intéressante car elle installe le débat et amorce un changement. Mais elle lui paraît insuffisante pour mettre un terme simple et définitif à des habitudes très ancrées. En réalité, pour que ces initiatives soient suivies d'actions durables, il faut qu'elles génèrent une insatisfaction suffisamment grande, pour susciter chez les intéressés une envie profonde de changement. (Source : http://t.co/ZCLwpGKR)

• Quelques recommandations

Valérie Andrade recommande les étapes suivantes :

• Identifions les mauvais usages, en nous regardant dans le miroir et en analysant nos pratiques.

• Appliquons-nous des règles personnelles de gestion du temps pour ne pas nous laisser déborder.

• Expérimentons des solutions concrètes de remplacement, les nouveaux outils offrent de réelles opportunités.

• Construisons collectivement une charte des bonnes pratiques pour une application intelligente.

Conseils pour un sevrage progressif ou une transition brutale

Utiliser des outils alternatifs

• Le téléphone

Au lieu de rédiger des e-mails avec « urgent » dans l'intitulé, prenez votre téléphone ! L'e-mail ne viendra qu'après les autres outils plus connectés en direct, comme le téléphone ou la messagerie instantanée. Quand vous commencez à réfléchir sur la façon de tourner votre e-mail et que vous vous demandez comment présenter de façon compréhensible les différents points, là aussi posez-vous la question du coup de téléphone préalable pour gagner du temps.

• Les réseaux sociaux

Un rapport du McKinsey Global Institute explique qu'installer un réseau social d'entreprise (conçu tel un Facebook dédié à l'entreprise et sécurisé vis-à-vis de l'extérieur) pourrait contribuer à accroître la productivité des salariés, et ce de la façon suivante :

- en réduisant le nombre d'heures passées à traiter les e-mails ;
- en réduisant les coûts de communication ;
- en améliorant l'accès au savoir et aux experts en interne ;
- en faisant baisser les coûts de transport ;
- en améliorant la satisfaction des employés ;
- en réduisant les frais de fonctionnement.

Cet outil devrait être nécessairement accompagné d'un changement d'attitude du management et considéré comme une des solutions alternatives à l'e-mail. (Source : « The social economy : Unlocking value and productivity through social technologies », McKinsey Global Institute, Technology & Innovation, http://ow.ly/eOskN)

L'expérience d'un DRH français

Il est intéressant de constater que les études des grands cabinets de conseil outre-Atlantique sont largement décalées quant à la réalité franco-française et à la difficulté des cadres de gérer la transition actuelle entre les multiples outils de connexion professionnels et personnels.

L'interview ci-dessous d'un cadre de la RATP montre comment le collectif conduit à une dérive des outils, difficile à traiter au seul niveau individuel. Il est clair que, sur ce sujet, l'entreprise a une responsabilité d'intervention.

✔ **Bonjour Philippe, pouvez-vous vous présenter en quelques mots ?**

Je suis actuellement DRH du département de la sécurité à la RATP (1 200 personnes environ). Mon domaine d'expertise est centré sur les relations et le lien social, et s'est construit à partir de mes expériences professionnelles. J'ai notamment dirigé pendant dix ans l'Observatoire social de la RATP ; depuis 2007, je partage avec Jean Kaspar la vice-présidence de l'Observatoire social international. Enfin, j'ai été conseiller social auprès d'un ministre.

✔ **Vous avez occupé plusieurs fonctions importantes à la RATP et en dehors, comment votre utilisation de l'e-mail a-t-elle évolué tout au long de ce parcours ?**

Je pense « comme tout le monde ». J'ai d'abord découvert un outil formidable de communication. Très rapide et qui permet de s'affranchir des distances et du temps. Je le vis aujourd'hui comme une source de difficulté majeure pour ma gestion quotidienne du temps.

✔ **Un poste exposé comme le vôtre vous amène à recevoir près de 200 e-mails par jours, avez-vous réussi à mettre en place un fonctionnement personnel, des paramétrages d'outils pour y faire face avec efficacité ?**

Très franchement, non. Je consacre volontairement 1 heure chaque jour (en fait, le soir très tard) pour « vider » ce tonneau des Danaïdes. Mais en cours de journée, je suis « obligé » de gérer presque en temps réel les arrivées de messages. Il faut dire que la connexion au téléphone mobile est redoutable.

C'est moins par recherche frénétique de la réponse immédiate. Après tout, je sais qu'une demande ou un envoi à un moment « T » n'exige pas de fait une réponse instantanée. Mais c'est la crainte de laisser passer une information importante et de voir, en fin de journée, le stock de messages avoir augmenté de façon exponentielle qui me guide. Je suis « managé » par la contrainte d'une certaine façon, et en plus par un outil technologique. On sait dans les rapports humains que ce type de relation n'optimise pas les ressources à long terme.

✔ **Voyez-vous l'arrivée des médias sociaux en entreprise comme une régulation possible du nombre de vos e-mails ?**

Non, ils remplissent une autre fonction. D'ailleurs, leur présence marque la nécessité de passer à un autre stade de la gestion de l'information, et pas seulement de l'information professionnelle. Il nous faut apprendre à gérer des volumes importants d'informations qui sont de natures différentes et dans un flux continu. Pour des personnalités comme la mienne, qui sont particulièrement attachées à leur autonomie et leur libre arbitre, c'est une mutation assez difficile. J'aime coller un post-it avec un message sur l'écran d'ordinateur de mes collaborateurs ou écrire une lettre manuscrite à des contacts lointains. Je veux leur signifier l'intérêt qu'ils ont pour moi et l'attention que je leur porte. Le lien social n'est pas du 2.0, c'est une parole, de l'écoute, voire un geste le plus souvent.

✔ **Êtes-vous parfois tenté de débrancher l'e-mail ? Quels en seraient les avantages, les risques ?**

Je l'ai déjà fait. C'est une expérience intéressante. Une sorte de saut à l'élastique, mais en restant sur sa chaise. La dernière fois, j'ai volontairement effacé 342 e-mails. Je n'arrivais plus à prendre le dessus, et j'ai donc décidé de reprendre un peu le contrôle. On est parfois surpris, tout s'est très bien passé. Quelques personnes m'ont renvoyé leur missive, et il n'y a pas eu de drame. C'est un peu comme l'expérience des syn-

chronisations ratées pour les contacts téléphoniques. Qui n'a jamais perdu ses contacts, dont bien entendu ceux que l'on gardait jalousement comme une pépite (un portable d'une personne importante que l'on contacte rarement et dont on pense ne jamais pouvoir obtenir à nouveau les coordonnées, par exemple) ? En réalité, ceux que l'on doit rappeler, on les retrouve, et les autres …

Pour les messages, c'est la même chose. Relativiser, c'est sans doute le début d'un apprentissage sérieux. Mais bien entendu, je ne fais pas cela chaque semaine… encore que c'est peut-être une piste à creuser.

Adopter les méthodes, techniques et outils anti e-mail

U n de mes contacts, qui dirige une entreprise spécialisée dans le routage d'e-mailing, m'a confié un jour avoir eu affaire à une entreprise qui abusait du courriel pour le prospecter. Agacé par la fréquence de ses envois, l'absence de lien de désinscription et le fait que ladite entreprise faisait la sourde oreille lorsqu'il formula à trois reprises, par e-mail personnalisé, une demande spécifique de suppression de son adresse dans la base de prospection utilisée, il a décidé, après avertissement, de submerger le serveur du spammeur en lui faisant parvenir 500 000 e-mails. La manœuvre s'est avérée fructueuse, puisqu'une fois le serveur reparti, l'entreprise a consenti à supprimer son adresse e-mail, pour ne plus avoir à faire les frais d'une telle mésaventure.

Pour recevoir moins d'e-mails, il existe la méthode douce et la méthode forte. Les deux requièrent un investissement de votre part, en temps et en énergie. La mise en application de l'une ou de l'autre se justifie selon les cas et le volume de messages indésirables reçus. Ainsi, consacrer régulièrement

1 heure à la désinscription d'une cinquantaine de listes pourra être parfois plus rentable que de supprimer manuellement un à un les indésirables, ou de les supprimer en une seule fois, par l'action de vider le dossier du courrier indésirable.

Une des règles de base pour recevoir moins de courriels consiste bien entendu à ne pas communiquer votre e-mail (formulaire « contact », bouton « inscription » après saisie de votre e-mail) et à vous opposer par défaut à l'inclusion de votre adresse dans des bases de données (annuaires, *newsletters*, carte de fidélité, etc.). Seulement, il ne suffit pas de ne pas donner son e-mail pour ne pas en recevoir ! En effet, les bases s'achètent et se revendent. En outre, il suffit à une entreprise de qualification de contacts, par exemple, de connaître la structure des e-mails de votre société, ainsi que votre prénom et nom, pour vous prospecter par e-mail.

Pour optimiser l'identification des spammeurs et limiter la réception de courrier indésirable, respecter les règles de base et ensuite procéder en deux étapes pourra être utile.

Étape 1 : la méthode douce

• Les règles Outlook

Créer des règles permet de désengorger votre dossier « boîte de réception » et de classer dans des dossiers spécifiques les e-mails en provenance de certains émetteurs et/ou contenant certains mots-clés. Le nombre d'e-mails non lus en attente augmentera automatiquement, et vous pourrez décider de les consulter, lire et supprimer au moment le plus opportun, dans la plage horaire hebdomadaire de votre choix. Vous optimiserez ainsi la gestion de vos priorités et votre organisation. Vous diminuerez le nombre d'interruptions inutiles et le temps passé à consulter des e-mails non prioritaires.

• Les outils anti-spam

Les services de Boxbe peuvent s'avérer utiles pour compléter certaines messageries qui ne proposent pas par défaut l'approbation des expéditeurs et le blocage de contacts, et pour organiser votre messagerie en définissant des filtres et des messages prioritaires. Cet outil vous permet de gérer le carnet de contacts d'une, de plusieurs ou de toutes vos messageries.

Lorsque vous vous inscrivez, la technologie Boxbe scanne vos dossiers de messagerie existants et votre carnet d'adresses pour établir la liste de vos invités. Il s'agit de toutes les personnes à qui vous avez déjà envoyé du courrier électronique. Votre liste d'invités est ensuite dynamiquement et automatiquement mise à jour par Boxbe.

Les messages de personnes que vous avez approuvées sont acheminés vers votre boîte de réception ; en revanche, les messages non vérifiés sont stockés dans une liste d'attente, et vous pouvez alors les accepter ou bien les refuser. Tout expéditeur ne figurant pas dans votre liste d'invités reçoit automatiquement de la part de Boxbe un message l'invitant à rejoindre votre liste d'invités, pour que son message puisse être effectivement livré à votre boîte de réception.

Ainsi, Boxbe, en vous permettant de bloquer des émetteurs, est non seulement un outil d'anti-spam, mais aussi un outil de blocage.

Étape 2 : la méthode forte

Si les précautions que vous avez prises et la mise en œuvre de la méthode douce ne sont pas suffisantes, pour reprendre le contrôle de votre messagerie, alors il vous faudra adopter la méthode forte.

• Les désinscriptions de listes

La désinscription est contraignante pour l'utilisateur, parce qu'elle prend au moins 3 secondes lorsque tout se passe bien, mais jusqu'à plusieurs minutes lorsque les techniques des marketeurs vous complexifient la tâche. Sans compter que, parfois, le lien de désinscription est invisible, inaccessible, inopérant, voire inexistant !

Lorsque l'option obligatoire de désinscription ne figure pas dans le message qui vous est envoyé, il vous reste la possibilité de répondre par e-mail à l'expéditeur, en indiquant dans l'objet de votre message : « Merci de désinscrire mon adresse e-mail de votre base de données. » Mais parfois, l'émetteur a pris le soin de paramétrer l'adresse e-mail servant à router ses spams de telle manière que celle-ci puisse envoyer, mais pas recevoir. Dans ce cas, vous serez quadruplement puni...

1. Vous recevez un premier e-mail que vous ne souhaitiez pas recevoir.
2. Vous perdez du temps et de l'énergie à tenter de vous désabonner, pour éviter de continuer à recevoir à l'avenir ce type de messages.
3. Faute de pouvoir vous désinscrire, vous êtes dans l'obliga-

tion de prendre le temps d'envoyer un e-mail de demande de désabonnement.

4. Non seulement cette dernière tentative est inopérante, mais en plus vous recevez un e-mail supplémentaire.

Il est à noter que, dans certains cas, un délai de 2 à 10 jours est nécessaire pour la prise en compte de votre désabonnement !

Dans d'autres cas, le lien « se désinscrire » contenu dans l'e-mail qui vous est envoyé redirige tout simplement sur la page d'accueil ou d'achat du site de l'émetteur !

Le recours aux techniques décrites plus bas sera alors votre dernière option.

• Le signalement comme spam

Certaines messageries, telles que Yahoo ou Gmail, vous proposent de signaler comme spam un e-mail reçu en boîte de réception. Il vous suffit de sélectionner ledit e-mail, puis de cliquer sur le bouton « spam », et l'e-mail sera automatiquement déplacé vers le dossier intitulé « spam ».

• Le blocage (Outlook)

Bloquer les expéditeurs inconnus et ceux identifiés par vous comme spammeurs créera automatiquement la règle suivante : transfert de la boîte de réception vers le dossier des indésirables.

• Le recours à la CNIL

Dans le guide publié par la CNIL (Commission nationale de l'informatique et des libertés) et intitulé *La Pub si je veux !* (source : http://ow.ly/fnOnD), le droit d'être radié d'un fichier est traité en pages 4 et 5 comme suit : « Vous avez le droit de demander la radiation de vos informations personnelles des fichiers dans lesquels elles seraient enregistrées. »

Pour exercer votre droit, faire stopper la prospection commerciale et préserver votre vie privée, il vous faut vous inscrire sur les listes d'opposition.

Différentes situations sont distinguées, et diverses options, offertes : http://is.gd/g7d5el

Exemples :

VOUS NE SOUHAITEZ PAS	LISTE D'OPPOSITION	L'OPÉRATEUR EST	COÛT
Recevoir de sollicitations par courrier électronique	Signal Spam	Association Signal SPAM (www.signal-spam.fr)	Gratuit
Que des sociétés de vente par correspondance, des organismes de presse et des associations vous adressent des courriers publicitaires	Liste Robinson	UFMD 60, rue La Boétie 75008 Paris	Gratuit

Gérer l'angoisse du changement et d'une vie sans e-mail

Si tous les matins, dès le réveil, une de vos premières actions consiste à lire vos e-mails sur votre smartphone, et que pourtant vous trouviez cette tâche lassante, peu intéressante, plus vraiment gratifiante, alors vous êtes sans doute prêt/e à débuter une vie sans e-mail. Il vous faudra pour y parvenir procéder en trois étapes…

1. Modifier les paramètres de vos messageries et smartphone, de sorte, par exemple, de ne plus recevoir vos e-mails professionnels, qui attendront alors l'allumage de votre ordinateur de travail.

2. Gérer l'angoisse des premiers temps, conséquence normale de tout changement et de la mise en œuvre d'une forme d'anticonformisme. Dites-vous simplement que vous ne raterez rien de fondamental en débutant une vie sans e-mail. En effet, vous constaterez que ce qui est réellement important vous sera, de toutes manières, acheminé par un autre biais. Vous serez même surpris/e de noter que vos interlocuteurs s'adaptent avec beaucoup d'application à vos nouvelles exigences et à vos nouveaux modes (pratiques ou outils) de communication ! C'est alors que disparaîtra votre angoisse du changement.

3. Prévenir vos interlocuteurs des nouveaux moyens de vous joindre s'ils attendent une réponse et une action de votre part.

Réussir à débrancher…

Une histoire d'autodiscipline

Comportez-vous avec les autres comme vous aimeriez qu'ils se comportent avec vous…

Que vous soyez cadre dirigeant, manager ou salarié, fixer un cadre horaire sera utile pour vous, mais aussi pour vos interlocuteurs. Ainsi, avant d'envoyer un e-mail un dimanche matin à votre collaborateur, interrogez-vous sur l'impression que vous laisserez, le degré d'urgence que vous instaurerez et l'image que vous véhiculerez. Au moment de la réception de votre message, le destinataire pourrait bien se poser les questions suivantes :

- Pour quelles raisons m'écrire un dimanche ?
- S'agit-il d'une urgence absolue qui justifie de perturber mon repos dominical ?
- L'émetteur a-t-il une vie privée ou bien, au contraire, travaille-t-il tous les jours de la semaine ?
- Suis-je dans le devoir de l'imiter ?

- Suis-je en droit d'organiser mon travail et mes relations professionnelle autrement et d'apporter une réponse ultérieure (si oui, dans quels délais raisonnables pour préserver ma vie personnelle et ne pas pénaliser ma vie professionnelle ?) ?

Si vous répondez « séance tenante » à un message reçu le dimanche, demandez-vous quelle image vous laisserez à votre tour à celui qui vous a sollicité. Il y a alors fort à parier que la pratique s'installera insidieusement comme une habitude. Or, tôt ou tard, vous vous trouverez nécessairement dans l'incapacité de traiter un message qui vous sera envoyé un soir très tard, la nuit ou le week-end, et là, patatras, cela pourrait même vous être reproché (puisque jusqu'alors vous aviez veillé à répondre !)…

• Fixer un cadre horaire

Le plein essor et la démocratisation des technologies mobiles favorisent la « mobiquité ». Télétravail et nomadisme se généralisent. Par ailleurs, le temps où le salarié découvrait les outils informatiques les plus modernes sur son lieu de travail est révolu. Le développement important du *bring your own device* (Byod) conduit les salariés à emporter sur leur lieu de travail leurs messages et contacts personnels, et, parfois même, à utiliser leur propre appareil pour réceptionner et traiter leurs e-mails, consignes et contacts professionnels.

L'outil qu'ils choisissent pour leurs relations privées est bien souvent dorénavant plus moderne (rapide, ergonomique, etc.) que celui que leur employeur met à leur disposition à des fins exclusivement professionnelles. Le smartphone personnel devient alors le réceptacle unique d'interactions de forme et de nature différentes (privées, professionnelles).

Certains reçoivent même en doublon les courriels professionnels, à la fois sur leur appareil mobile personnel et sur leur outil de travail. Dans ce contexte, la journée de travail achevée, le salarié est amené à prendre connaissance de consignes, questions, invitations, spams, rendez-vous reçus par e-mail sur l'un, l'autre, ou ses deux terminaux mobiles, en dehors des heures de travail prévues par le contrat qui le lie à son employeur. En conséquence, fixer un cadre horaire peut être une démarche utile pour débrancher, prendre du recul, mieux s'organiser et pallier l'envahissement de la vie professionnelle sur la vie personnelle, et réciproquement !

Conseils pour la semaine

Délimiter des plages horaires de connexion, et donc également de déconnexion à Internet, aux médias et réseaux sociaux, permet de préserver une efficacité certaine pour des tâches nécessitant d'être pleinement attentif et concentré. Pour s'imposer des temps hors ligne, il peut être utile d'imaginer et de s'efforcer de respecter un emploi du temps quotidien « type », qui pourrait être conçu comme suit, par exemple…

- De 8 heures à 9 heures : gestion des e-mails, définition de la liste des choses à faire dans la journée, examen des priorités définies la veille, prise de connaissance des informations nationales, professionnelles et personnelles.

- De 9 heures à 11 heures : activités hors ligne, rédaction, réunions, rendez-vous, appels téléphoniques… Le tout, messagerie éteinte, alertes et notifications désactivées, smartphone en mode avion ou éteint.

- De 11 heures à 12 heures : médias et réseaux sociaux.

- De 12 heures à 13 heures : déjeuner, prise de connaissance des informations.

- De 13 h 30 à 14 heures : gestion des e-mails.

- De 14 heures à 17 heures : appels téléphoniques, réunion, RDV clients. Le tout, messagerie éteinte, alertes et notifications désactivées, smartphone en mode avion ou éteint.

- De 17 heures à 18 h 30 : gestion des e-mails, réponse aux notifications via les réseaux sociaux.
- De 18 h 30 à 19 heures : définition de l'emploi du temps et des priorités du lendemain.
- De 19 heures à 21 heures : activités hors ligne, activités sportives ou familiales (cuisine, bricolage, sport, dîner en famille, etc). Le tout, messagerie éteinte, alertes et notifications désactivées, smartphone en mode avion ou éteint.
- De 21 heures à 23 heures : activités manuelles ou culturelles (cinéma, lecture).

Dans l'emploi du temps ci-dessus, les activités hors ligne représentent 7 heures, sur une journée de veille de 10 heures.

Conseils pour le week-end

Déconnectez ! Le week-end est l'occasion de s'octroyer un moment de rupture, de déconnexion, de repos et de diversification de ses activités. Cuisine, sport, voyage, photographie, lecture, sommeil, activités culturelles, seul ou en famille, ne sont que quelques-uns des nombreux moyens de se ressourcer et de focaliser de façon salvatrice son attention sur d'autres centres d'intérêt…

• L'autodiscipline, une affaire de bonnes pratiques qui nous concerne tous !

L'autodiscipline peut concerner tous les acteurs des échanges numériques : non seulement l'émetteur et le destinataire, mais aussi les responsables de l'administration des échanges numériques. Les archives numériques stockées (documents, images, courriels, etc.) sont désormais des éléments constitutifs de la mémoire d'une entreprise et étayent aussi celle des individus.

Pour ce qui concerne l'épineuse question de l'accès aux ordinateurs professionnels des salariés par l'employeur, et plus particulièrement des risques d'abus d'utilisation des nouvelles technologies mises à la disposition du salarié par l'employeur, la jurisprudence est aujourd'hui suffisamment étoffée pour connaître les bonnes pratiques à adopter.

N'abusez pas de votre ordinateur professionnel !
Sauf abus, vous pouvez utiliser l'outil informatique mis à votre disposition par votre employeur (Internet, messagerie électronique, etc.) à des fins personnelles (source : http://is.gd/HVZGJX). Mais vous vous demandez sans doute si votre employeur peut, ou non, accéder aux fichiers contenus sur le disque dur de votre ordinateur professionnel. La réponse

est « oui » : « Les fichiers créés par le salarié à l'aide de l'outil informatique mis à sa disposition par l'employeur, pour les besoins de son travail, sont présumés avoir un caractère professionnel, en sorte que l'employeur est en droit de les ouvrir hors la présence de l'intéressé, sauf si le salarié les identifie comme étant personnels. »

En conséquence, la réponse est « non » : l'employeur ne peut accéder aux fichiers stockés par le salarié sur le disque dur de son ordinateur professionnel, dès lors que le salarié les identifie comme ayant un « caractère personnel ».

Ainsi, le fait de stocker des photos pornographiques dans un dossier libellé « mes documents » peut constituer un motif de licenciement pour faute grave. Mais l'accès à ces mêmes fichiers, dans un dossier intitulé « personnel », « privé » ou « perso », pourrait être considéré comme une atteinte caractérisée de l'employeur à la vie privée du salarié.

Notez que votre employeur peut lire vos e-mails professionnels et personnels, dans la mesure où il respecte certaines conditions.
- Il peut lire vos e-mails professionnels même quand vous êtes absent.

- Il peut lire vos e-mails intitulés « personnel » s'il a des doutes sérieux sur votre loyauté et des preuves contre vous, susceptibles de déboucher sur une sanction ou un licenciement. Dans ce cas, votre patron a intérêt à faire venir un huissier, qui les ouvrira devant vous. Sinon, il court le risque, s'il fait chou blanc, d'avoir enfreint la loi. (Source : Rue89 Eco ow.ly/e7inO)

Si l'employeur peut toujours consulter les fichiers qui n'ont pas été identifiés comme personnels par le salarié, il ne peut les utiliser pour le sanctionner s'ils s'avèrent relever de sa vie privée. (Cass. soc. 5 juillet 2011 n° 10-17284)

Ne critiquez pas votre patron par e-mail !
« L'échange entre salariés de courriels irrespectueux à l'égard de l'employeur est une faute justifiant un licenciement pour faute grave. »

« Dès lors que le courriel est en rapport avec l'activité professionnelle du salarié, il ne revêt pas un caractère privé et peut être retenu au soutien d'une procédure disciplinaire. » (Cass. Soc. 2 février 2011 n° 09-72449)

« Les messages envoyés par les salariés aux temps et lieu du travail, en rapport avec leur activité professionnelle, ne revêtent pas un caractère privé et peuvent être retenus au soutien d'une procédure disciplinaire à leur encontre. » (Maître Rocheblave, avocat au barreau de Montpellier.)

« Justifie la rupture immédiate de son contrat de travail, le fait par un salarié, dans un courriel adressé à sa compagne, d'insulter son employeur et d'annoncer son absence non autorisée. » (Cass. Soc. 2 février 2011 n° 09-72313) Source : http://is.gd/03G50o

Les éditions Tissot proposent un modèle de charte informatique dans lequel figurent le rappel et la recommandation suivants :
- **Rappel :** un message envoyé par Internet peut potentiellement être intercepté, même illégalement, et lu par n'importe qui.
- **Recommandation :** l'utilisation du courrier électronique à des fins personnelles est autorisée dans des proportions raisonnables, et à la condition de ne pas affecter le trafic normal des messages professionnels.

Ce type de charte vise à informer les salariés des risques encourus, encadrer les pratiques, indiquer ce qui est autorisé, interdit, recommandé… Ces documents ont leur utilité dans la mesure où toutes les parties prenantes (salariés, collaborateurs, concurrents, partenaires, clients, fournisseurs...) sont coresponsables de l'image qu'elles donnent d'elles-mêmes, bien sûr, mais aussi de l'entité qu'elles représentent et de celle avec laquelle elles sont sous contrat, par exemple.

Prenez garde au contenu des messages adressés à vos collègues

Attention aux propos racistes, sexistes, homophobes ou stigmatisant le handicap…

« Dans le cadre d'une relation de travail, la maîtrise du langage doit être de règle. » (CA Lyon, 12 Octobre 2006 Numéro JurisData : 2006-321468) Cette règle s'applique à l'oral, et à plus forte raison à l'écrit ! Nous vous renvoyons au *Petit Guide des grossièretés au travail*, publié par maître Rocheblave, avocat au barreau de Montpellier, spécialiste en droit du Travail, droit de la Sécurité Sociale et de la Protection sociale (source : http://is.gd/I66xE7). En voici un extrait :

« Les propos injurieux ne correspondent pas à l'exécution normale du contrat de travail » (CA Douai, 31 mai 2007 Numéro JurisData : 2007-344628).

« Si les prérogatives de l'employeur et l'usage normal de ses pouvoirs de direction et de contrôle ne peuvent l'autoriser à proférer des insultes à l'égard de ses salariés (CA Amiens, 31 mars 2009 Numéro JurisData : 2009-377786), la demande de résiliation du contrat de travail par le salarié insulté par son employeur n'est pas toujours appréciée également par les juridictions prud'homales. Toutefois, le salarié qui subit des injures répétées sur le lieu de travail en lien avec son emploi, sans réaction de l'employeur, et entraînant une dégradation de son état de santé, peut caractériser l'existence d'un harcèlement moral (CA Douai, 28 septembre 2007 Numéro Juris-Data : 2007-353955).

Et de citer cet exemple…
« Pour la Cour d'appel de Metz, caractérise une faute grave justifiant un licenciement le comportement attentatoire à la dignité des collègues féminines caractérisant une violation des obligations contractuelles du salarié telle qu'elle rend impossible son maintien dans l'entreprise pendant la durée du préavis. Le salarié avait un comportement et tenait des propos tout à fait déplacés à l'égard des employées, faisant des propositions tant verbales que par mails de nature sexuelle. » (CA Metz, 2 septembre 2008 Numéro JurisData : 2008-369244)

Une sacrée bourde !

« Une entreprise licencie 1 300 salariés par erreur par email » (source : http://is.gd/ uaN0sg). En avril 2012, au sein d'Aviva, un e-mail destiné à un salarié a été en réalité adressé par la direction à la totalité des collaborateurs. Cet e-mail, qui comportait des instructions relatives au départ de l'intéressé, a été envoyé par erreur à 1299 personnes. Il aura entraîné la surprise des témoins involontaires et aussi, sans doute, eu pour conséquence de décrédibiliser la direction.

Quelques conseils d'autodiscipline

- Relisez plutôt deux ou trois fois qu'une un e-mail destiné à plusieurs personnes ou contenant un message confidentiel ne concernant que votre émetteur.
- Avant d'envoyer un e-mail stratégique ou très sensible, demandez relecture et conseil à votre entourage, le cas échéant.
- Apprenez à maîtriser les options de votre messagerie et découvrir ses fonctionnalités qui pourraient bien un jour s'avérer utiles (rattraper un e-mail avant la fin de son acheminement, par exemple).

- Dans la mesure du possible, n'adressez pas par e-mail des décisions prises unilatéralement, et sans concertation ni information préalable des destinataires de votre message.
- Employeurs, ne notifiez pas un licenciement par e-mail, *chat* ou SMS ! Utilisez préférentiellement la lettre en recommandé avec accusé de réception.

Une histoire d'organisation

• Ouvrir plusieurs boîtes aux lettres

Une gestion optimisée implique de recevoir vos messages selon leur nature et leurs objectifs dans des messageries différentes (et chez des opérateurs différents également, le cas échéant). Paradoxalement, pour gagner du temps et de la productivité, il peut donc être utile de disposer de trois adresses e-mails au moins :

- la première professionnelle, à laquelle vous aurez recours uniquement pour des raisons professionnelles ;
- la seconde personnelle, qui sera utilisée par défaut pour vos comptes sur les médias sociaux, ainsi que vos achats en ligne, qui devra être aussi sécurisée que la première et qui sera consultée plus régulièrement que la troisième ;
- la troisième anonyme (ne comportant pas votre identité que représentent vos prénom et nom comme préfixe de l'aro-

base), qui servira à tous les autres cas, et notamment comme déversoir de pourriels. Pour celle-ci, il faudra choisir un opérateur qui ne requiert pas de votre part une administration particulière, en termes de limitation de l'espace de stockage notamment.

• La gestion de la messagerie privée

Un message personnel est sensible et il a pour vocation d'être reçu, lu, traité et archivé seulement par vous. Rien ne serait plus désagréable, voire risqué, de recevoir ce type de message par l'intermédiaire du mauvais canal.

Voici quelques conseils pour limiter dans cette boîte la réception de courrier indésirable et pour gérer au mieux vos courriels…
• Créez une adresse e-mail distincte (avec une extension de type @gmail.com, @yahoo.fr, @hotmail.fr, @free.fr, @voila.fr, etc.). Privilégiez au moment de la création de votre adresse les préfixes non nominatifs (de type bertrand.dupont@). Optez pour l'absence de ponctuation et de caractères spéciaux (ex: '-' ou '_' ou '.'). Le format le plus simple et court doit être retenu (exemple : bdupont@gmail.com).
• Administrez personnellement le contenu de cette boîte de réception.

• Ne cochez pas l'option « mémoriser mes codes de connexion » lorsque vous accédez à votre messagerie depuis un ordinateur qui n'est pas le vôtre.

• Définissez un mot de passe d'accès à votre ordinateur personnel, à saisir au moment de l'ouverture d'une session, après son allumage.

• Ne communiquez jamais votre mot de passe de messagerie à un tiers. Ce conseil s'applique d'ailleurs à tous les sites contenant des informations personnelles (et donc sensibles) vous concernant.

• Changez régulièrement ce mot de passe (tous les 3 mois à 12 mois maximum).

• Veillez à vous déconnecter à la fin de chaque session de navigation, surtout si vous avez emprunté un terminal qui ne vous appartient pas.

• Réglez les paramètres de votre navigateur, de telle sorte que l'historique de navigation et les *cookies* de votre ordinateur soient automatiquement effacés lors de la fermeture d'une session Internet.

• Ne communiquez votre adresse de messagerie que lorsque c'est réellement nécessaire.

• Décochez systématiquement les cases (le plus souvent cochées par défaut) d'inscription aux *newsletters*, proposées par les sites que vous consultez : « J'accepte de recevoir des informations de notre part et/ou de celle de nos partenaires. »

• Vérifiez la présence d'un « cadenas » (symbole de sécurité) dans le navigateur des sites visités avant de saisir des données sensibles, telles que vos coordonnées bancaires, date de naissance et, dans une moindre mesure, vos adresses postale et e-mail.

• Créez une boîte e-mail secondaire que vous utiliserez lorsque vous douterez de l'intérêt de communiquer votre adresse personnelle principale (par exemple : nopub@hotmail.fr). Celle-ci accueillera parfaitement les pourriels, que nous recevons quotidiennement en quantité conséquente. Ainsi, vous n'aurez pas à trier les messages personnels importants des autres. Il ne vous sera pas utile de vous connecter régulièrement à votre messagerie pour que celle-ci soit maintenue.

En respectant les conseils ci-dessus, vous faciliterez et optimiserez la gestion de vos courriels d'ordre personnel.

• La gestion de la messagerie professionnelle

Votre employeur met à votre disposition un outil informatique et aussi, dans certains cas, une charte informatique. Pliez-vous aux usages de votre entreprise et veillez, dans l'intérêt conjoint de votre santé et de votre productivité, à traiter vos e-mails aux heures ouvrées, et depuis le matériel mis à votre disposition par votre employeur. Si vous êtes doté, en plus, d'un BlackBerry, par exemple, mis à votre disposition par votre employeur en guise d'avantage en nature, nous vous recommandons….

• De ne traiter vos e-mails professionnels que sur cet outil et non pas sur le BlackBerry ainsi que sur votre mobile personnel.

• De paramétrer vos messageries professionnelles, dans le respect de la charte informatique de votre entreprise et de veiller à ne pas recevoir vos messages personnels via des canaux ou outils professionnels.

• D'éteindre votre BlackBerry le plus souvent possible aux heures et jours non ouvrés ou non travaillés.

• Pour les messages d'ordre mixte

Certains e-mails peuvent être considérés comme étant mixtes (ayant trait tout autant à la sphère personnelle qu'à la sphère professionnelle). Une invitation à un évènement, le message d'un collègue ou d'une relation extérieure peuvent relever de ce cas de figure. Nous avons évoqué plus haut la question d'une porosité toujours plus grande entre le personnel et le professionnel. Parfois aussi, au gré des changements de fonction ou d'entreprise, certains messages autrefois personnels peuvent devenir professionnels, et inversement. Il peut être utile de créer une règle de réacheminement, un dossier ou une messagerie dédiée, un message automatique type dédié à cette situation, dans l'objectif de bien segmenter les signaux et les canaux, pour une meilleure productivité.

• Le cas des messages devenus indésirables

Avec le temps et un changement éventuel de situation personnelle ou professionnelle, certains messages autrefois attendus peuvent devenir indésirables à vos yeux. Il existe deux types de cas…

• **En mode opt-in,** vous avez donné votre accord pour être sollicité par e-mail : vous avez pu, à une date passée, communiquer votre adresse e-mail à un commerçant et ainsi donné votre accord pour recevoir des informations. Vous pouvez toutefois ne plus souhaiter recevoir de courriels de sa part.

• **En mode opt-out,** vous n'avez jamais donné votre accord pour être sollicité par e-mail et vous faites donc l'objet d'une prospection illégale : d'une façon générale, si vous n'avez jamais souhaité recevoir un e-mail et que l'option de désinscription est inexistante ou inopérante, il est conseillé d'avoir recours à la CNIL (voir p. 161-162). Celle-ci indique que « la prospection commerciale par courrier électronique, par télécopie et par automate d'appel à destination des particuliers est subordonnée à l'accord préalable de la personne démarchée : si vous n'avez pas demandé à recevoir des courriers électroniques (méls, SMS, MMS), des télécopies ou des appels téléphoniques préenregistrés à caractère publicitaire, les sociétés qui vous en adressent sont en infraction. »

• Diminuer ses notifications

La diminution de vos notifications est l'étape préalable à une vie sans e-mail.

• **Celles reçues par e-mail :** elles sont généralement et paradoxalement émises par les médias sociaux, que l'on s'approprie précisément pour communiquer autrement que par e-mail ! La presque totalité des réseaux et médias sociaux (Facebook, Twitter, Viadeo, Linkedin…) vous propose de recevoir un e-mail pour vous informer d'une nouveauté, d'une action requise de votre part, de l'arrivée d'un message sur la plateforme, d'un changement survenu pour un de vos contacts… Il est recommandé de vérifier et de modifier les paramètres par défaut et de décocher les cases qui vous feront recevoir un nombre incroyable de courriels en un temps très limité !

Vous pouvez opter dans certains cas pour la désinscription partielle, en ne décochant que certaines options pour lesquelles vous êtes certain de ne pas souhaiter recevoir d'e-mails. Cette manipulation vous permettra de ne pas « blacklister » immédiatement un émetteur.

• **Celles reçues autrement que par e-mail :** celles-ci, dont le format est visuel ou sonore, n'ont d'intérêt ici que si elles peuvent se substituer aux précédentes et en diminuer le nombre.

Travailler et communiquer
avec les réseaux sociaux
en limitant l'e-mail

À la question « dans l'hypothèse où l'e-mail serait remplacé par une ou plusieurs autres pratiques, lesquelles seraient-elles, selon vous ? », Valérie Andrade répond : « Naturellement, les nouveaux outils vont continuer à se distinguer. Ils se détachent même déjà par leur intégration dans notre quotidien, par l'expérience qu'ils procurent ou même la simplicité de leur navigation.

« Nous n'aurons donc plus un outil majeur, mais plusieurs outils… propres à chacun. Et pour déterminer ceux qui nous conviendront bien, cela passera par l'expérimentation.

« Lorsque nous formons des utilisateurs à la pratique de différents outils sur les médias sociaux, nous constatons que la multitude des choix qui s'offrent à eux amène naturellement nos collaborateurs à développer un média parmi les autres. Qu'on le veuille ou non, aucun nouvel outil ne s'est aujourd'hui généralisé auprès de l'ensemble de nos contacts, qu'il s'agisse de relations personnelles ou professionnelles… comme c'est le cas de l'e-mail aujourd'hui. »

L'essor des réseaux sociaux d'entreprise ?

Une des tendances RH pour 2013 pourrait bien être l'essor toujours plus important des réseaux sociaux d'entreprise, parallèlement à une démocratisation toujours croissante de l'usage des médias sociaux. Ceux-ci, utilisés non seulement à des fins de communication internes (*corporate*), mais aussi de *personal branding* (employabilité), ou encore à des fins de communication externe (*employer branding*), devraient logiquement être assortis de la disparition progressive du courriel (dont plus personne ne veut !?).

L'e-mail est une source de stress désormais connue et de perte soupçonnée de productivité dans un contexte de mauvaise utilisation. Mais son remplacement par les réseaux sociaux d'entreprise ou d'autres outils alternatifs devra se faire au profit de l'instauration de nouveaux modes de collaboration, plus rapides et efficients. Supprimer l'usage du courriel au profit des réseaux sociaux d'entreprise et des médias sociaux ne sera possible que sous réserve d'une plus grande productivité, avérée et reconnue par tous, d'outils et de technologies plus innovants. Il y a fort à parier qu'au fil des années, les utilisateurs qui gagneront en maturité et en expérience sur ces nouveaux types de partage et de collaboration, désactiveront petit à petit les notifications par e-mail, aujourd'hui activées par défaut sur chacun des médias sociaux utilisés.

Le combat d'un homme contre l'e-mail

Ce changement de paradigme, un homme l'a entrepris, il y a désormais plus de quatre ans, à IBM. Il est devenu au fil du temps le fer de lance de la substitution possible de 90 % des e-mails par les outils d'une plateforme sociale (blogs, Wiki, RSE, *chats*, etc.). Luis Suarez a simplement, un jour de septembre 2008 (http://is.gd/TY3u9k), annoncé qu'il ne répondrait plus aux e-mails que sur ces plateformes, pour regagner en productivité et arrêter de perdre trois heures par jour pour simplement vider sa BAL. Il avait constaté que répondre à un e-mail ne fait qu'augmenter le nombre de courriels que vous recevrez, alors que simplement le classer et y répondre par un autre biais diminue le flux de moitié !

Luis a lancé son blog, Think out of the Box, pour raconter son combat contre l'e-mail et « arrêter de nourrir le monstre ».

Il y donne, en toute transparence, des résultats qui parlent d'eux-mêmes : en 2008, Luis recevait en moyenne 40 e-mails par jour, puis 32 e-mails par semaine, 22 en 2009, 18 en 2010 et 16 en 2011.

• Des problèmes d'usage avant tout

En démarrant cette expérience, Luis Suarez était persuadé que l'e-mail allait mourir lentement sous les coups des outils 2.0, et du fait de son défaut majeur : emprisonner les informations au lieu de les partager. Il a revu ce jugement et pense que l'e-mail survivra pour de très bonnes raisons :
- organiser et planifier des rencontres et des évènements ;
- assurer un échange confidentiel, sensible, de manière privée ;
- recevoir les notifications diverses des plateformes sociales utilisées.

En outre, pour Luis Suarez, ce qui a créé la situation catastrophique actuelle quant à l'utilisation de l'e-mail, c'est moins l'outil lui-même que la façon dont nous l'avons utilisé, et en particulier cette tendance à en faire une arme d'entreprise, pour transférer du travail à nos collaborateurs ou collègues. Nous pourrions y ajouter la tentation du « présenmailisme » : répondre à un e-mail, mettre beaucoup de personnes en copie montre un signe extérieur d'activité, même si celle-ci est bien souvent improductive. Nombre d'études montrent que nos BAL sont parfois des poubelles où s'entassent des e-mails sans utilité (source : http://is.gd/Y4RyWC).

✔ **Luis, pourriez-vous nous expliquer ce qui vous a fait prendre conscience des problèmes d'utilisation de l'e-mail en entreprise ?**

En février 2008, j'ai écrit un billet sur mon blog personnel (http://elsua.net) ainsi que sur mon blog interne d'entreprise. Un article où j'ai commencé à challenger le statu quo de la façon dont nous travaillons habituellement dans un environnement d'entreprise, où il y a une connotation plutôt négative à l'égard du courrier électronique, basée sur la façon dont nous avons abusé de son bon usage et ainsi tué notre productivité. Donc, pour me rebeller contre la façon dont les gens utilisent (certains d'entre eux continuent !) l'e-mail comme :
- une arme politique et d'intimidation,
- une machine impitoyable de délégation de son propre travail aux autres,
- moyen de communication de façade afin de cacher son incompétence,
- et bien d'autres usages nocifs...,

j'ai pensé que c'était le bon moment pour moi de remettre en question notre façon de travailler et de voir si les outils de réseautage social pourraient aider à développer des échanges plus ouverts, publics, authentiques, dignes de confiance, engagés, en réseau et dans un environnement de travail propice aux travailleurs du savoir et l'intelligence collective.

Ce fut un mouvement plutôt remarqué, spécialement dans un environnement de grande entreprise, comme IBM, une société axée e-mail, et à un moment où la plupart des gens essayaient encore d'évaluer l'impact des réseaux sociaux pour les entreprises. Ce billet a généré tout un tas de publicité, des commentaires, à la fois internes et externes, et beaucoup de visibilité du fonctionnement de ces travailleurs du savoir, dans un environnement aussi large que celui de IBM, qui permettait de challenger ses collègues pour trouver des façons plus efficaces de collaborer et de partager ses connaissances avec plus de transparence.

✔Votre changement à propos de l'utilisation de la messagerie de l'entreprise a-t-il modifié la façon dont IBM conçoit l'e-mail en interne ou est-ce encore un changement de nature personnelle ?

Depuis près de cinq ans que j'ai commencé avec ce mouvement, je peux confirmer que c'est maintenant un mouvement bien établi, et pas seulement à l'intérieur d'IBM, mais aussi dans plusieurs autres sociétés et organisations académiques, où des centaines, sinon des milliers de personnes contestent maintenant la façon dont le courrier électronique est utilisé. Elles essaient de trouver des moyens plus innovants, collaboratifs et sociaux, de travailler ensemble. Tout s'est accéléré il y a environ deux ans, lorsque plus de gens ont commencé à prêter attention à mes propositions et testé pour eux-mêmes leur efficacité. Ainsi, alors que les deux premières années étaient un peu un travail de pionnier, il est devenu plus évident que ce n'est plus le cas, et il y a beaucoup de gens, tant à l'intérieur de l'entreprise qu'à l'extérieur, qui délaissent leur boîte de réception. Ce message a été repris par quelques dirigeants et de nombreux cadres, dont certains ont prêché par l'exemple comment ils étaient parvenus à réduire de façon drastique l'engorgement de leur boîte à courrier électronique...

✔ **Quelle est la frontière entre ce qui pourrait être un outil intelligent et ce qui est devenu un monstre qui produit du stress, moins de productivité et un mode de management catastrophique ?**

La frontière principale est celle qui nous a fait passer du bon usage d'un outil de communication plutôt productif et efficace, à des dérives depuis plus d'une décennie maintenant, qui ont baissé notre productivité, engendré des frictions inutiles et permanentes, faites d'arguments politiques, d'intimidation et manœuvres tacticiennes, etc.

Nous sommes passés d'un outil qui permettait de faire son travail, à la peur d'être dépassé et moins bon que les autres. L'e-mail est ainsi devenu une arme, parfois de manière inconsciente, pour ralentir le travail des autres ! Ce genre de mentalité est celle qui a le plus évolué avec la prise de recul effectuée sur notre usage de l'e-mail. Malheureusement, peu importe nos arguments, certains travailleurs du savoir continuer à faire usage du courrier électronique comme un moyen de protéger, de thésauriser et d'assurer leur connaissance, sans la partager ouvertement de manière transparente, et font perdurer le problème tant qu'ils en restent acteurs et victimes.

✔ **Pensez-vous que l'e-mail peut rentrer en complémentarité avec les plateformes sociales pour changer notre façon de communiquer/collaborer, ou est-ce juste un outil qui a fait son temps et qui va disparaître ?**

Non, l'e-mail n'est pas près de disparaître. Pas aujourd'hui, ni demain, ni l'année prochaine, même pas dans dix ans, à mon avis. Il y a encore quelques bons cas d'utilisation, pour lesquels nous allons encore faire usage du courrier électronique assez longuement :

- identité numérique universelle,

- calendrier et organisation des évènements,

- échanges confidentiels/sensibles, comme les questions de ressources humaines.

Donc, avec ces trois cas de figure, nous continuerons à faire usage de l'e-mail. Ce que nous allons voir, c'est bien un changement énorme massif du nombre de courriers, qui cesseront d'être l'outil critique actuel, par une transition vers la messagerie sociale et les systèmes de notification de contenus. Curieusement, lorsque le courrier électronique a été inventé il y a quarante ans, c'étaient ces cas d'utilisation, allant de l'identité numérique aux échanges confidentiels, qui étaient essentiels, et quarante ans plus tard, nous fermons de nouveau la boucle ! Démontrer que le courrier électronique n'est plus le roi de la communication et de la collaboration, mais juste une option de plus, parmi plusieurs autres options, où il aurait besoin de trouver sa place, comme un point d'intégration et non comme un point d'absorption.

Partager ouvertement sur les plateformes sociales d'entreprise deviendra la règle, et ne faire confiance qu'à quelques personnes au travers de l'e-mail, l'exception ?

Oui, comme je l'ai mentionné ci-dessus, mais nous avons aussi besoin de voir comment la grande majorité des interactions vont passer à niveaux d'ouverture publique, de transparence et d'interconnexions par les réseaux sociaux. Les réseaux sociaux amènent des composantes culturelles qui accélèrent les changements en cours s'ils sont accompagnés et permettront l'adoption de technologies sociales en remplacement de l'e-mail.

✔ En conclusion, Luis Suarez, je vous propose de revenir à une dimension « pratico-pratique », avec cette dernière question : quelle est la meilleure façon d'arrêter de subir la charge cognitive quotidienne de notre courrier électronique, que nous pourrions appliquer immédiatement ?

Ces derniers temps, au cours des dix-huit derniers mois, j'ai dit aux gens que, s'ils suivaient deux points différents, que je vais partager ci-dessous, ils seraient en mesure de réduire l'encombrement de leur boîte de réception de plus de 80 %, en seulement 5 semaines, et ce de manière garantie !

J'ai proposé à des relations de suivre ces conseils durant 5 semaines, et s'ils n'obtenaient pas les résultats prévus, je leur offrais un dîner. Jusqu'à présent, je n'ai pas eu à payer un seul dîner, et des centaines de gens ont déjà réduit de plus de 90 % le nombre de messages reçus chaque jour… Je suis pour ma part passé de 30 à 40 courriels par jour, à 15 ou 16 par semaine !

Mes deux conseils sont les suivants…

1. Cessez de répondre aux e-mails. *Loi universelle, plus vous répondez aux e-mails, plus vous en recevrez en retour. Arrêtez ce cercle vicieux et brisez la chaîne, trouvez d'autres moyens pour répondre, différents du courrier électronique, à savoir la messagerie instantanée ou les plateformes sociales. Il faut beaucoup d'énergie et de conviction pour franchir ce premier pas, car il vous met face à votre dépendance à l'e-mail dès la première semaine, mais une fois ce cap passé, vous êtes bien parti !*

2. Prenez une feuille de papier, format A4, et tracez trois colonnes.
Sur la première, notez les diverses interactions que vous effectuez par e-mail. Étudiez votre boîte de réception pendant

une semaine ou deux et décidez quel type de « e-mailer » vous êtes, si vous êtes le genre de personne qui partage des fichiers, des documents, répond aux questions, établit du reporting, des bulletins actions, des liens, des nouvelles et des annonces, et ainsi de suite…

Ensuite, sur la deuxième colonne, notez le contenu qui pourrait vous permettre de passer de cet e-mail à un outil social. Par exemple, le partage de fichiers par courrier électronique peut être arrêté et remplacé par une application comme Dropbox. Vous pouvez aussi arrêter de partager des liens par courrier électronique et lister vos favoris avec Delicious.com, et ainsi de suite. Trouvez ce contenu plus cohérent avec les outils sociaux que l'e-mail et commencez à migrer vers ces nouveaux outils.

Enfin, sur la troisième colonne, notez l'intérêt personnel, et non l'intérêt en termes d'organisation, de procéder à cette migration : quels avantages, bénéfices cela va-t-il vous procurer ?

Une fois que vous avez terminé votre tableau, essayez de mettre en place une ou deux interactions sociales de substitution au courriel par semaine et, en seulement 5 semaines, vous aurez atteint plus de 80 % de réduction. C'est garanti !

Derrière les maux de l'e-mail

Il faut retenir que, derrière le problème de l'explosion des e-mails, se cachent des problèmes dépassant largement celui de « l'infobésité » :

- *management basé sur le contrôle ;*

- *culture de l'individuel ;*

- *besoin d'afficher et moins de réaliser ;*

- *importance du partage sous-évaluée ;*

- *refuge dans l'hyperactivité comme moyen de fuir l'implication de fond.*

En conclusion

Dans les différentes parties de cet ouvrage, nous avons pu voir en quoi l'e-mail était un moyen puissant d'échanger, mais souvent toxique pour communiquer. Sa toute-puissance, due en partie à son ancienneté, mais aussi à sa plasticité à de nombreux usages, constitue en fait son plus gros défaut.

Nous sommes avec l'e-mail un peu comme un bricoleur qui n'aurait comme outil qu'un marteau et verrait des clous partout !

Pourtant, notre caisse à outils numériques et collaboratifs n'a jamais été aussi riche, mais ce dinosaure d'e-mail refuse de s'éteindre et de laisser la place à ses successeurs naturels.

On touche là le cœur de la question du passage difficile de cet outil vers de nouvelles plateformes, malgré des arguments solides comme ceux présentés dans ce livre, sur les limites et les défauts de l'e-mail.

Ce changement ne se fait pas naturellement, car, finalement, l'e-mail reste un outil que l'on a parfois mis du temps à comprendre, maîtriser, et on n'a nulle envie de devoir réinvestir du temps dans l'acquisition de nouveaux outils.

Le changement ne pourra se faire que d'une part accompagné par la direction de l'entreprise sur la mise en place de nouveaux process, mais surtout si les salariés y trouvent un avantage personnel rapidement. Les différentes interviews sont riches d'instructions à cet égard, l'e-mail est écrasant, mais semble incontournable, et seule une volonté de créer une rupture, dans nos manières de travailler de façon collaborative, peut amener l'émergence de nouveaux outils plus adaptés.

Les entreprises qui changent sont celles qui ont réussi à mesurer le coût de l'e-mail (tant organisationnel, managérial qu'humain), et décidé de travailler plus efficacement qu'en se contentant de donner simplement des consignes pour survivre aux boîtes aux lettres toujours pleines.

Derrière l'e-mail se cache en fait toute une conception de l'entreprise et des rapports entre les hommes qui la composent, comme de la nature du travail. Pour régler le problème, il est nécessaire de se situer à un niveau de complexité supplémentaire, afin de dépasser les logiques qui l'ont elles-mêmes fait naître.

Changer l'usage de l'e-mail, c'est changer l'entreprise en profondeur, et non pas seulement changer d'outils. Les nouveaux usages qu'amènent ces derniers s'inscrivent dans une logique, un écosystème qui assure leur réussite et leur développement.

Direction : Catherine Saunier-Talec

Responsable d'édition : Tatiana Delesalle-Féat

Responsable artistique : Antoine Béon

Adaptation et réalisation : Catherine Le Troquier

Lecture-correction : Élisabeth Andréani

Fabrication : Amélie Latsch

Achevé d'imprimer
Imprimé par Unigraf, Espagne
23-0950-01-8
II-2013
ISBN : 978-201-230950-0